迷走生活の方法

福岡伸一

文藝春秋

目次

第2章　がんを遠ざける迷走生活

第3章　小宇宙「人体」の旅

第4章　災害のち、都市の動的平衡

第8章　ハカセの読書diary

第9章　フェルメール賛歌

装画　いとう瞳
装丁　大久保明子

迷走生活の方法

まえがき

本書のタイトル『迷走生活の方法』は、壮年の方はもうお気づきかもしれないが、渡部昇一先生による往年のベストセラー『知的生活の方法』（講談社現代新書）へのオマージュである。ちょうど私が大学に入学した一九七〇年代の終わり頃、読書界を大いに賑わせており、まさに知的生活を志していた私もすぐに買って読んでみた。

当時のカバー（その頃の〝現新〟は、一冊一冊、異なる意匠を凝らした、杉浦康平デザインの実にかっこいいものだった）にはこうある。

「知的生活とは、頭の回転を活発にし、オリジナルな発想を楽しむ生活である。（中略）読書の技術、カードの使い方、書斎の整え方、散歩の効用、通勤時間の利用法、ワインの飲み方、そして結婚生活……」となっていた。

〝結婚生活〟のあとに付いている「……」が気になる方もいるかも知れない。渡部先生は古風な学者ゆえ、結婚や子どもは、知的生活の足手まといになるとお考えだったようで、独身だった哲学者カントの例を称揚したり、「まことに前途有望な学徒であった人が、結婚したとたんに、いっこう冴えなくなったということはよく見聞きするところであるが」などと書いている。

一方、彼が挙げた知的生活の方法も、今では、読書もカードも電子化（ちなみにこのカードとはクレカのことではなく、情報整理カードのこと）、コワーキングスペースが書斎代わり、散歩でなくジムでワークアウト、通勤せずともネット会議、飲み会もオンライン、というのが現代の流儀となってしまった。ああ、時代はすっかり変わりましたね。渡部先生が生きていたら、なんと言うだろう。

そもそも〝知的〟であることの価値が凋落《ちょうらく》してしまった。何でもネットがすぐに教えてくれるし、学者や専門家は尊敬されるどころか、ちょっとうかつなことを言えば、ＳＮＳで袋叩きにされてしまう時代である。

さて、前置きはこれくらいにして、コロナ時代の今、福岡ハカセの提唱するのは、知的生活ならぬ『迷走生活』なり。むろん右往左往する生活のことではなく、迷走神経を活性化する生き方を目指そう、というもの。

福岡ハカセの生命哲学のキーワードは「動的平衡」である。生命現象は、すべて、陽と陰、合成と分解、アクセルとブレーキ、アップとダウン、といった相反する二つのベクトルの微妙なバランスの流れの中にあり、どちらかといえば、むしろ、陰、分解、ブレーキ、ダウンの方を大切にしよう、というのがハカセの立場。そして、まさに迷走神経が、ダウン系なのである。

意思の力とは別に自然に身体を整えてくれる自律神経のうち、交感神経がアップ系・アクセル系とすれば、副交感神経がダウン系・ブレーキ系である。副交感神経系の主役が迷走神経。迷走神経が優位にある時、心身はリラックスし、ストレスは低減、免疫系は活性化され、病気は遠のき、ウイルスも退けられる。人生百年時代。長く、健やかに生きるためのコツがすなわち「迷走生活」。本書のコラム（「週刊文春」連載「福岡ハカセのパンタレイパングロス」）はすべて、そんな気持ちを常に心にいだきながら書いたものです。

ちなみに、渡部先生をも悩ませた結婚生活に関していえば、結婚生活はストレスではあるものの、独身生活を貫くのもまたストレス。人それぞれでいいんです。迷走生活の要諦は、来る者拒まず、去る者追わず、ですからね。

もうひとつ、ちなみにいえば、勃起するには交感神経の活性化が必要だが、射精を導くには迷走神経（副交感神経）が優位に転じる必要があるんです。女性も同じ原理。すごいでしょ。迷走神経に幸いあれ。

第1章　コロナウイルスが問いかけたもの

サイトカイン・ストーム

中国の武漢市を中心に新型コロナウイルスによる肺炎がアウトブレイクしている。この原稿を書いている時点（二〇二〇年二月）で、中国国内の感染者は一万七千二百五人、死者は三百六十一人。感染は今後、中国の春節にともなう人の移動で急激に拡大する恐れがあるという。

コロナウイルスというのは電子顕微鏡でしか見えない微小粒子。球形の殻にトゲトゲが生えていて、まるで王冠（コロナ＝クラウン）みたいに見えるところからこの名がある。実は、コロナウイルスはどこにでも存在し、今もあたりの空気中を漂っている。それがたまたま誰かのノドや鼻にとりついて、肺などに達するとそこで増殖を始める。

ただし人間の側には防衛システムとして免疫系警戒網が備わっているので、異物の侵入はまたたく間に検出され、リンパ球など働く細胞がスクラムを組んでやっつけてくれる。なので大半の人は、コホンと咳をしてもひとり、という感じで何事も起きない。運の悪い人は免疫系の初動が遅れ、その結果、発熱や下痢、関節の痛みなどの炎症症状が起きる。いわゆる風邪だ。一般に風邪と言われているもののうち一、二割がコロナウイルスによるものと考えられている。

ただし、このコロナウイルスの中でちょっと凶悪な奴がいるのだ。ウイルスの殻の内部には遺伝子が入っている。コロナウイルスの場合は一本鎖ＲＮＡ。我々ヒトを含む高等生物は、遺伝子はみんな二本鎖ＤＮＡなので情報が安定し、互いに他の鎖を相補しているが、ウイルスの遺伝子は不安定なＲＮＡでできているので、ミス、つまり突然変異が起こりやすい。そしてものすごい速度で自己複製して増殖する。なので、たえず新しいバージョンのコロナウイルスが生まれては消えている。トゲトゲのかたちもちょっとずつ変化する。ウイルスはこのトゲトゲを使って、宿主の細胞に結合・侵入してくる。つまり鍵のようなものなのだ。

かつて問題になったＳＡＲＳ（重症急性呼吸器症候群）やＭＥＲＳ（中東呼吸器症候群）もコロナウイルスによるものだったが、変異した新しいタイプのものだった。もともとは野生動物の体内でおとなしくしていたものが（ＳＡＲＳウイルスはコウモリを、ＭＥＲＳウイルスはラクダを宿主にしていたらしい）、ヒトに乗り移ってきたとたん、トゲトゲがちょうどヒトの細胞に適合して急速な増殖を起こしてしまった。

さらにウイルスはヒトの体内に入ったあとでも進化しうる。つまりヒトの細胞内で自己複製を繰り返すうちにも突然変異が起こり、より早くより効率よく増殖し、かつ免疫系に捕まりにくいタイプが選抜されることになる。なので今回の事件も、ウイルスと接触した最初の人間から新型のコロナウイルスが自然選択されるまでにそれなりの「前史」があったはずなのだ。

一方、凶悪化したウイルスがもたらすもうひとつの問題はサイトカイン・ストームである。ウイルスのような異物が侵入すると体内に警報が鳴り響く。これがサイトカインという信号物質。

リンパ球はサイトカインに反応し、ウイルス退治に動き出す。そして自らも別のサイトカインを分泌し、援軍を呼び寄せる。しかし高齢者のように免疫システムの制御が弱っていると、この連携がうまくいかず、複数のサイトカインが入り乱れ、リンパ球が右往左往し、収拾がつかなくなる。もう敵味方の区別もわからなくなってしまうのだ。これがサイトカイン・ストーム（暴風雨）。死亡率の上昇の主因である。

結局、感染症対策は、原因ウイルスに近づかないことが第一だが、自分自身の免疫系を整えておくことも大切なのである。免疫系の大敵はストレス。ハカセの提唱する迷走生活（免疫系を賦《ふ》活《かつ》する副交感神経優位の状態・詳しくは一一五ページ）を心がけましょう。

（二〇二〇・二・一三　以下、日付は「週刊文春」の掲載号を表す）

ＰＣＲの威力

みなさん、ＰＣＲという言葉、急に聞くようになりましたよね。大臣からテレビコメンテーターまで、こぞって訳知り顔で、ＰＣＲ、ＰＣＲと叫んでいる。ＰＣＲ、すなわちポリメラーゼ連《チエ》鎖反応《インリアクション》。新型コロナウイルスの検査方法である。でも、ほんとのところ、どれくらいの人がＰＣＲの実際を知っていることだろう。

自慢ではないが、福岡ハカセは、もっとも早い時期にＰＣＲの威力を目の当たりにした研究世代だと思う。それは一九八〇年代半ばのこと。当時、ハカセは、ニューヨークのロックフェラー大学の古びた実験室で研究修業していた。そんなある日、研究集会から戻ってきた教授が勢いこんで部屋に入ってきた。

「シンイチ、これからの時代は、ＰＣＲだ！」

ＤＮＡの研究をするためには、研究対象となる遺伝暗号を含むＤＮＡをたくさん必要とする。それまでＤＮＡを増やすには、大腸菌にＤＮＡ断片を組み込んで、細胞分裂に便乗して増やしていた。それが、試験管内でごく簡単にＤＮＡを無限に増やす方法が発明されたのだという。そんなアホな⁉　でも話を聞くと確かにそれは合理的。ＤＮＡは二重らせん構造をしている。二重らせんをほどくには百度の熱をかければよい（これくらいの熱ではＤＮＡ自体は壊れず、らせんだけがほどける）。ほどいた一本のＤＮＡを鋳型にして、そのＤＮＡと相方になるＤＮＡを、ポリメラーゼという酵素で合成する。この酵素は大腸菌の細胞にもヒトの細胞にも存在するし、精製品が市販されている。ポリメラーゼが反応を開始するためには、合成の開始点を指定するプライマーという短い合成ＤＮＡを使えばよい。プライマーを呼び水として、ＤＮＡが合成され、もとと同じ二重らせんとなる。

さて、先程、熱でほどいたもう一本のＤＮＡがある。こちらのＤＮＡに対しても、別の開始点からプライマーを使ってポリメラーゼで、相方のＤＮＡを合成する。するとこちらも、もとと同じ二重らせんとなる。これでＤＮＡは二倍に増えた。

さて、このＤＮＡにまた熱を加える。すると二つの二重らせんＤＮＡはそれぞれほどけて、四本の一本鎖ＤＮＡとなる。それぞれプライマーから相方ＤＮＡがポリメラーゼで合成されると、今度はＤＮＡはまた二倍になる（最初からだと四倍）。これをサイクルで繰り返せば、ＤＮＡは、二倍、四倍、八倍、十六倍と増えていく。ちょ、ちょっと待って。百度に加熱したら、ＤＮＡはほどけるだけだけど、ポリメラーゼはタンパク質だから熱で死んでしまうだろう。いや、違うんだ。やつら（ＰＣＲを開発したバイオベンチャー）は、なんと熱水鉱床に生息している菌から耐熱性のポリメラーゼを取り出して、もう特許を取っているんだ。な、なんと。

それでも私はまだ信じられなかった。当時、分子生物学はまさに勃興期で、次々と新しい技術が発明されていた。でもその大半は、理論的にはすばらしいが、実際にやってみると思ったほどはうまくいかないことばかりだった。自然はそんな簡単じゃないよ。

　それでも、ものは試し。小さなプラスチックの試験管に、ＤＮＡ、二種のプライマー、耐熱性ポリメラーゼ、たったこの三つの要素だけを入れ、加熱、反応、加熱、反応、加熱、反応、を繰り返した。ＤＮＡは目では見えない。ゲル電気泳動という方法で初めて可視化できる。ハカセは反応液をゲル電気泳動して結果を見るために暗室に入ってＤＮＡの発光を調べてみた。

　ゲルの中にＤＮＡのバンドが光り輝いていた。手が震えた。信じられない。百万倍以上に増えている。こんなことってあるのか。ハカセは自分でも気づかないうちに泣いていた。しかしこの威力が逆に仇にもなることに、その時はまだ気づかなかった。


（二〇二〇・三・一九）

偽陽性・偽陰性

画期的な遺伝子増幅技術、ポリメラーゼ連鎖反応（ＰＣＲ）が登場したとき、研究者はそのパワフルぶりに欣喜雀躍し、こぞってこの方法を使って実験を進めた。原理がシンプルかつ巨大な装置も不要なのがよかった。試験管の中で、加熱してＤＮＡの二本鎖をほどく。ほどいてできた一本鎖ＤＮＡを鋳型に、もう一本のＤＮＡをポリメラーゼという酵素で複製するとＤＮＡは二倍に増える。これを繰り返せば、ポケットの中にはビスケットが〜、の歌のように、研究対象のＤＮＡがどんどん倍化され、増幅される。

ＰＣＲがすごかったのは、研究者なら誰でも知っているはずのＤＮＡ複製の原理を組み合わせただけなのに、キャリー・マリスが発案するまで誰も思いつかなかった、ということ。ＤＮＡが細胞内で合成されるときも、まずは二重らせんがほどけ、それぞれの鎖を鋳型に、互いに逆向きに複製が行われ、そのときプライマーと呼ばれる短い遺伝子断片が呼び水となってポリメラーゼ反応が起きることがわかっていて、そのとき生じる複製物はその日本人発見者の名をとって、岡崎フラグメントと名づけられていた（故・岡崎令治が発見した）。なので、ＰＣＲは岡崎博士が発案しても全然不思議ではなかったが、あとからやってきた風来坊、マリスがちゃっかり思いついて特許をとった。

実際、マリスは科学界随一の一発屋といってよく、七〇年代、八〇年代にはサーフィンやクスリをやり、職を転々としていた。ガールフレンドとドライブしている最中に、PCRのアイデアを思いつき、これひとつで最後はノーベル賞までとったのだ。その後、福岡ハカセはマリスと仲良くなり、彼の自伝（『マリス博士の奇想天外な人生』）まで訳したのだが、快活で実に面白い人物だった。

さて、このPCR。パワフルであるがゆえにしばしばありえないような問題が起きた。ある研究者が、化石の骨の中から恐竜のDNAを増幅した、と大発表した。ジュラシック・パークがほんとうに再現されたとニュースが飛びついたが、他の研究者が再検討してみると、増幅されたのは化石に混入していた現代の微生物のDNAだった。さすがに数千万年も前のDNAは残っていない。

笑い話みたいなことは、表に出てこないだけで研究の現場ではもっといっぱい起こっていた。マウスの細胞の遺伝子を研究していた科学者が、PCRで増幅したDNAを調べてみると人間の遺伝子そっくりだった。ヒトの遺伝子がマウスに水平移動していた⁉　否。彼が手袋をしていなかったせいで、自分の垢を解析してしまったのだ。

こんな事例もあった。ウイルス検査をしてみると、検体すべてから陽性反応が出た。すわ、パンデミック勃発か⁉　否。研究者たちは微量のDNA溶液や酵素液を採取したり混合したりするのに、ピペットマンという用具を使う。手のひらサイズの持ち手に、ドリルみたいな尖った先端がついた溶液計量器で、ほんの数マイクロリットルを正確に量り取って、こっちの試験管からあっちの試験管に移せる。先にはチップと呼ばれる使い捨ての脱着可能な部分があり、溶液はここにしか触れない。

ところがあらゆるものには陥穽《かんせい》がある。液の出し入れは、持ち手の部分にあるピストンの上下運動でコントロールされる。でも、このピストン運動、慎重にやらないと、ごく微量の飛沫がピペットマンの筒の部分の奥の方まで吸い込まれてしまう。これが他のサンプルに混入するとたちまち偽陽性になってしまうのだ。

最近はＰＣＲも自動化され、チップにもフィルターがついて、サンプル相互の汚染を防いでいるはずだが、ブラックボックスが大きくなればなるほど落とし穴も多くなる。逆に、ちょっとしたミスで偽陰性も起こりうる。最先端技術に過信は禁物なのだ。

（二〇二〇・三・二六）

人類の大転換期

新型コロナ問題の拡大がとどまるところを知らない。感染地図やグラフが可視化されることで世界を混乱に陥れた。つまり急速に伝播されたのはウイルスというよりも人々の不安である。福岡ハカセも「週刊文春」で阿川佐和子さんと対談した二〇二〇年二月半ばの時点では、ここまで大きな社会的・経済的インパクトが地球規模で広がるとは予想できなかった(不明を恥じます)。我々は人類史上稀《まれ》に見る大転換期に立ち会っており、世界はもう元には戻らないかもしれない。

ところで冷静になって考えてみると、日本人の場合、死因のトップ3は、がん(三十七万人)、心疾患(二十一万人)、老衰(十一万人)となっているが、五位の肺炎と七位の誤嚥性肺炎を合わせると、十三万人となり、三位になってしまう(二〇一八年の統計)。つまり新型コロナウイルスがやってこなくても肺炎で死ぬ人は毎年十万人を超える。このデータが今年どれくらい純増するかが注目される(これは「超過死亡数」という数値)。

たとえば高齢者に多いのは誤嚥性肺炎である。ハカセもこの頃、ビールを飲んだときなどうっかり飲みそこなって、激しくむせ返ることがよくある。これは年のせいで喉の筋肉運動の能力が落ちてきているからなのだが、食べ物や飲み物が肺の奥の方まで行ってしまうと、そこに混じっていた菌が増殖して、炎症反応（つまり菌に対する免疫反応）を起こし、悪化すると呼吸機能に支障をきたし肺炎となる。

この場合の菌というのは、どこにでもいる細菌（バクテリア）のことで「市中」細菌などとも呼ばれる。細菌とは単細胞生物。細菌による炎症ならば、抗生物質を投与すると卓効がある。細菌は自分の細胞膜の周りにもう一層、細胞壁というバリアーを作って自らを守っている。抗生物質はこのバリアーの合成酵素を阻害する物質。バリアーはだいたいどの細菌も同じような素材で同じような酵素が作っているので、抗生物質は広い範囲の細菌に作用する。

困るのがウイルス性の肺炎である。ウイルスは細菌よりずっと微小で、細菌とは全く違う方法で宿主の細胞に取りついて肺炎を起こす。新型コロナウイルスの場合、ウイルス表面にあるトゲが、宿主細胞側のレセプタータンパク質と結合する。わざわざウイルスが感染しやすいよう、レセプター（受容体）を細胞側が持っているというのも不思議な話なのだが、それだけではなく、宿主の細胞は、親切にもウイルスのトゲトゲタンパク質を引き寄せて、より感染しやすくしてあげている。これは、ウイルスという存在の起源と宿主細胞との間に、長い進化の動的平衡関係があることを示唆していると思われるのだが、それはまた別の機会に論じるとして、まずは治療法である。

ウイルスは細菌ではない。細胞壁もない。だから抗生物質は全く効かない。ワクチンが切り札となる。ワクチンさえあれば、それを事前に注射しておくことによって身体の免疫システムに

〝注意喚起〟しておくことができ、いざウイルスがやってきても素早く対抗できる。

しかしワクチンは個別のウイルスに個別に用意しなければならない。新型ウイルスのワクチンはそう簡単には作れない。まずウイルス遺伝子を解析して、ワクチンの元になる効果的な抗原タンパク質を人工合成しなければならない。ワクチンは大規模に健康な人に注射するから、安全性と副作用を確かめるため、十分な治験を行い、製造工程の管理なども慎重に審査されなければならない。だからどんなに早くても数年、ひょっとすると十年単位の時間が必要になる。最初に「人類史上稀に見る大転換期」と書いたのはそういう意味なのだ。

（二〇二〇・四・二三）

健康保菌者とは?

二〇二〇年がこんな年になるなんて、誰も想像していなかった。巣ごもり生活はまだまだしばらくは続きそう。普段は何かとデートやら寄り合いやらで外出の多いみなさんも、わりと時間がおありのはず。その点、本誌「週刊文春」は毎号たいへん読み応えがありますね。我々、連載ページの執筆者でさえ、その号にどんなスクープが出るかは、その号が本屋さんの店頭にならぶまでは全くわからない。連載班と事件班は完全に別チームなのだ。

そんなすごい雑誌の一翼を、小なりとはいえ、担わせていただいている福岡ハカセ、たいへん光栄ではあるものの、事件班のような一刻を争う切った張ったは到底できないので、おのずともう少し長い射程であれこれ巣ごもり生活の意味を考えるべきであると思う。

さて、今回のコロナ禍で、もっともやっかいなのは自分の言動は自分でしまつをつける、あるいは自分の行いの責任は自分で持つ、ということができない、というところにある。米国では、プールや海岸に監視員などがおらず、"at your own risk"という看板が立っていることがしばしばある。勝手に泳ぐのはいいけど、何かあっても自分の責任ね、ということ。コロナウイルスに関してはこれが成り立たない。自分はいくら健康で、風邪もめったにひかないし、何の問題もないと思っていても、他人に迷惑をかけてしまうリスクがある。健康であるがゆえに、つまり免疫能力が高いから、ウイルスに感染していても発症しない。しかしウイルスは体内にあって、知らず知らずのうちにそれをばらまいてしまう危険性がある、ということだ。

これはいわゆる健康保菌者という概念で、実は、ある事件をきっかけに世間に広まった。日本でいうと明治維新の少し前、アイルランドはジャガイモが伝染病で壊滅し、飢饉の際《きわ》にあった。人々は国外に脱出を図り、多くはアメリカをめざした。アイルランド系アメリカ人の多くはこのときの移民の末裔である。十四歳の少女メアリー・マローンもアメリカ・ニューヨークにやって来た。彼女はなんとか住み込み使用人の職を見つけ、何軒かの家を転々とした。時代は二十世紀を迎えていた。当時、ニューヨークでは、ときおり、腸チフスが発生していた。家族や近い関係にある集団が同時期にかかる。今でいうクラスターである。

腸チフスの原因はサルモネラの仲間のチフス菌。食物とともに体内に入り、潜伏期一週間から二週間ほどをおいて腹痛、下痢、高熱を発症する。どんどん身体が衰弱し、治療しないと三十%近い致死率にもなる（現在では抗生物質が効く）。患者の糞便に菌が出て、トイレにいった手をちゃんと洗わないと次の感染者を作ってしまう。

クラスターはなぜかメアリーの立ち回り先で頻発していた。しかし彼女自身は健康そのものであった。住み込み先の当主の看病を甲斐甲斐しくこなしたほどだった。

クラスターを解析した医師や研究者（今でいう疫学者）は、線の交点にメアリーがいることを突き止めた。しかし病状がまったくないメアリーは検査に激しく抵抗した。

結局、最後は警察が出動し、メアリーは強制的に入院させられて検査で陽性となった。しかしメアリーは自分は健康であると主張し、訴訟を起こし、病院から出た。当時はまだ健康なのに感染者という概念がなかったからである。

社会に戻ってからしばらくすると彼女はまたクラスターの発生源となってしまった。ここには基本的人権と公衆衛生の鋭い対立がある。コロナ禍は、すべての人が健康保菌者になりうるとみなされて自粛要請が出された。詳しく知りたい方は、惜しくも若くして亡くなった科学史家、金森修の労作『病魔という悪の物語――チフスのメアリー』を。


（二〇二〇・六・一一）

コロナ問題 in ＮＹ

ニューヨークに来ている。当地もコロナ問題で大騒動である。日々刻々、状況が変転し、殺気だってきた。最初は太平洋対岸の火事のごとく遠い国の疫病と思っていたものが、たちまち波及、ニューヨーク市近郊の小都市ニューロシェルでは百人規模の謎の集団感染が勃発。感染者数はあっという間に増大し、現執筆時点で全米で一万人超。たちまち日本は追い越され、米国こそがホットスポットになってしまった。

ハカセが滞在しているロックフェラー大学でも学長が声明を発表、二〇二〇年三月十八日から休校が決定された。これは生命科学の研究を専業としている大学院大学の本学にとっては死活問題。実験動物や培養細胞は待ってくれない。いったん実験を中断し、細胞は凍結保存、ＤＮＡやその他のサンプルも冷凍保存するしかない。研究ミーティングや講義などはＺｏｏｍというネット会議システムを使って行うべしとのお達しだ。Ｚｏｏｍって、ハカセもちゃんとわかってないから使えるかちょっと不安である。

文化活動も大きな影響を受けている。リンカーンセンターやカーネギーホールなど大会場でのコンサートは軒並み休演、ブロードウェイ・ミュージカルも休止、メトロポリタン美術館やニューヨーク自然史博物館なども休館である。

市民生活もたいへんだ。ニューヨーク市長のデブラジオはとうとう公立学校の全校休校を決定した。すこし前まで市長は、休校策には慎重姿勢をとっていたが、危機感が募った教員組合からの突き上げに決断を迫られた。少年少女たちは降って湧いた休暇に興奮気味だが、困っているのは働く親たちである。米国の学校年度の切り替わりシーズンは夏なので、ここで休むと夏休みが短くなることは必定であるぞ。

という具合にテレビでは連日、キャスターが早口英語でまくし立てているのだが、一歩外にでると街はあまりにも普段どおり。人々は往来し商店も営業している。日本みたいにマスクをしている人も、手袋をしている人もみかけない。ちょっと拍子抜けする。

ハカセが思うに、やはりこの大騒動はいささか過剰反応すぎるのではないか。まず第一に、学校やイベントの休止の効果はどの程度あるのだろう。欧米での拡大を見ると、中国からの渡航禁止策も結果的にあまり功を奏さなかったことになる。ウイルスは、ほんとうは根絶することも、制圧することもできはしない。ウイルス病の世界的拡大はそのまま、人類の世界的侵食の映し鏡だ。見えない敵はヒトの動きに沿って確実に広がっていく。

第二に、事態収束のポイントをどこにおくつもりなのだろう。二〇二〇年四月二十日の時点で、諸活動再開の判断ができるだろうか。おそらく、ウイルスは広がるだけ広がれば、免疫系がしっかりしている宿主のところでとどめられ、感染者の発生、重症化する患者の数は減少に転ずるだろう。これがウイルスとの共存・共生ということだが、問題は、それがいつのことになるのか。今から一ヶ月ほどで収まるようにはどうも思えないのだ。生命の動的平衡が押し合いへし合い、ある均衡点に達するには年単位の時間がかかっても不思議ではない。

日本ではこれまでのところ恐れられたほど感染者の爆発的な増加は数字の上ではないけれど、油断はできない。これまでどおり世界との往来は続くわけだし、欧米圏の状況が落ち着かないことには終息宣言のようなものを出すことをもままならない。

ふと街路樹を見上げるとマメナシの白い小さな花が一斉に咲き始めているのに気づいた。桜のかわりにニューヨークの春を告げる季節のたより。ほんの数ヶ月前には誰もが予想もできなかったかたちで、私たち人類は自然界からのリベンジを受けている。

（二〇二〇・四・二）

SEX and COVID-19

ご存じのとおり、ニューヨーク市のコロナ感染者は四万人を突破（二〇二〇年三月）。街は完全にロックダウン。イベントやコンサート、ブロードウェイ、美術館、博物館、映画館もすべて休止・休館。レストランやバーも店舗営業停止なので外食もできない。食料買い出し以外の不要不急の外出も禁止、市民はみな自宅勤務となり、国外はもとより州外への移動も制限されることになった。

まさに「沈黙の春 in NY」である。ハカセはいまのところ元気・健康だが、もし感染したら重症化リスク年齢なので、自己幽閉状態です。そのかわり、本を読んだり、原稿を書いたりははかどります。

そういえばレイチェル・カーソンの『沈黙の春』のサブタイトルは「自然均衡の破壊者」だった。破壊者とはもちろん無制限に農薬や殺虫剤をばらまいて、自然の動的平衡を乱した人間のことだった。が、今回のコロナウイルス問題の原因も人間の側にある。経済活動のグローバリゼーションのせいで、どこかに潜んでいたウイルスとの均衡が破れて、さらに人間の国際的な動きに乗じてここまで急拡大してしまった。

しかも高度情報化社会になったせいで、ウイルスよりも、ニュースや言説や不安の方が先に社会に感染を広げている。もし、ＰＣＲも、ゲノム科学も、ネットもなかったとしたら、新型コロナ肺炎騒動自体がなかっただろう。肺炎自体を見れば、毎年世界では数億人が発症し、約四百万人が死亡している。このうちウイルス性のものは三分の一くらいと見積もられるが、どのウイルスが原因なのかはウイルス遺伝子を調べなければわからない。未知のウイルスならもちろんわからない。

そして、ウイルスが検出されたからといって、それが真の原因なのかどうか、ほんとうはわからない。細菌が原因の肺炎に、たまたま他のウイルスが日和見感染しているだけかもしれない。なので、今年の肺炎による総死者数が、新型コロナの〝出現〟によってほんとうに増加したのかどうかは、将来、冷静に検証されることになるだろう。というのも「新型」コロナウイルスはもっと以前から世界中に散在していたかもしれないのだ。

ところで、何でもかんでもマニュアル化されるのが米国流。手の洗い方から咳のしかた、社会的距離のとり方（推奨六フィート）まで事細かに解説された手引がネットや紙で州や市から送られてくる。しかしいくら濃厚接触を避けろとはいっても人間がいちばん〝濃厚接触〟するのは、アレのときではないか、とは誰もが思うところ。ニューヨーク市のマニュアルにはちゃんと“SEX and COVID-19”なるページもあった（さすが、“SEX and the CITY”の市）。

まず、第一に、コロナウイルスは今のところ、感染者の精液、膣液からは検出されていません。

しかーし。コロナウイルスは、唾液、鼻水、そして排泄物からは検出されます。なのでー、キスをすればウイルスは簡単にうつります。それからリミングもあぶないです（リミングとは「肛門をなめること」と注釈あり）。

ではいったいどうすればよいのか。ニューヨーク市のおすすめは、「いちばん安全なセックスのパートナーはあなた自身です」。えっ、どういうこと。↓手をきれいに洗ってからマスターベーションすればウイルスに感染することはありません。第二案↓対面でデートするのはちょっとお休みにして、ビデオデート、セクスティング（エッチなメールのやりとり）、チャットルームなどを考えてみてはいかがでしょう。あああ、大きなお世話でした。

日本も今後こんな風になってしまう可能性大です。みなさん、どうかご自愛ください。

（二〇二〇・四・一六）

独特の話法

コロナ問題により、ハカセの勤務する大学でも入学式を取りやめ、二〇二〇年四月からの新学期を一ヶ月遅らせて五月から開講することになったが、今年度前半は、全部が遠隔授業となった。ネットを通じてライブ講義したり、あらかじめ録画しておいたビデオを受信できるようにして、それに対して課題を送ってもらうなど、なるべく双方向性を確保できるようにしているのだが、ハカセを始めとして、ネットを通じた遠隔講義などやったことがない先生が大半なので、これがうまくいくかどうか実際始めてみないことにはわからない。

また、この形式で講義を受ける学生の方も、ちゃんと遠隔講義を受け取れるネット環境があるかどうか、いささか不安なところである。最近の学生が持っている情報端末といえばスマホ一択が中心で、パーソナルコンピュータを持っていない人が多いという調査もある。パソコンが必要なときは、大学の自習室にずらりとPCがならんでいるのでそこでレポートなどを作成すればよいと思っているのだ。平時はこれでよかったのだが、今は緊急時。大学は構内立入禁止、自習室も図書館も閉鎖状態なので、パソコンやWi-Fi環境がない学生は困ったことになる。月極でデータ量の上限を決めている学生も多いので、全部の講義をスマホで受けると制限をすぐに超えてしまう。これを通称、ギガ死、というらしい。タブレット端末を貸し出したり、モバイルWi－Fiの優遇策を模索しているが、うまくいくかどうか。大学によっては学生にネット環境整備のため、一律五万円を支給するところもあるという。

開始が遅れた分、前期の大学の講義日程は八月に食い込む。学生は夏休みがなくなってしまって気の毒だが、いたしかたない（先生も同じ気持ちです）。そして秋からの後期が通常どおり再開できるかどうか、これも見通せない。生物学者のハカセですら、いつ状況が収束するのか、皆目わからない。

というのも、日本の場合、ＰＣＲ検査数を絞っているので、どの数値の、どんな変化をもって学校閉鎖を解除しうるのか、合理的な指標が見えないからである。世界的に見ると感染者数の増加傾向はややプラトー（平坦化）に達しているように見えるが油断はできない。ＷＨＯがパンデミック「終息」を宣言できることは、一年や二年では無理だと思う。

ちまたに溢れる科学者の言葉も、官僚や政治家の言葉に似て、独特の話法がある。例えば「（この薬に）一定の効果があった」という言い方のココロは「思ったほどは効かなかった」ということ。「改善の傾向が認められた」という言い方の真意は「統計学的に有意な結果は認められなかったが、平均値だけ見ると若干、下がっているように見える」ということである。科学論文としては、統計学的な有意差以外は、意味のあるものと認められないので単なる負け惜しみである。

論文の結語は「今後さらなる研究が望まれる」と締めくくられることが多いが、それは「今回の研究では大したことはわからなかった」ということ。つまり、ワクチンか特効薬が完成して、霧が晴れるようにコロナ問題が解決し、全世界が祝祭ムードに包まれるなんてことはまずありえない。ワクチンができるとしても、開発に数年、認可にさらに数年、国民全員に接種するまでにはもう数年を要すると考えたほうがよい。しばらくはこの抑圧ムードが続き、親密な社会的距離の接近は悪であるという倫理観が共有されることになる。

こんな世界で何に救いを求めればよいのか、いよいよ新しい生命哲学が必要なときだと思う。ハカセの思いは、一言でいえば「人類よ、むやみにコロナと争うな」となるのだが、詳しくは後述。

（二〇二〇・五・二一）

ウイルスとのツバ競り合い

二〇二〇年三月に始まった都市ロックダウンに巻き込まれてニューヨークに足止めされたまま三ヶ月が経過した。ここに来て、警察による黒人容疑者圧殺事件に端を発した抗議運動が全米で広がり、ハカセの住むアパートの外の道からも時折デモのシュプレヒコールが聞こえる。社会的抑圧の中、変化を求める声がふつふつと沸き起こっている。秋の大統領選もどうなるかわからない。

幸か不幸か、日本の大学もすべてがネットを介したリモート講義となり、先生も学生もどこにいてもよいことになった。とはいえ、日本に戻らないとできない仕事もあるのだが、飛行機も減便し、渡航・入国規制も依然として厳しい。ニューヨークからは成田着便しかなく、到着したらPCR検査とその結果待ち、陽性なら即入院。陰性であっても公共交通機関を使って移動することが許されないので、誰かに迎えにきてもらうか、自分でレンタカーを借りるしかない。そのあとも二週間の自己隔離が必要となる。

PCR検査といえば、鼻に綿棒を突っ込んで粘膜サンプルをとる、いわゆるスワブというのがどうにもこうにも苦手である。綿棒は長く、かなり奥まで差し込んでこられる。眉間の奥がツーンとし、涙が溢れ、くしゃみが止まらなくなる。当然、サンプル採取者への感染リスクが高まるので、宇宙服みたいな防護ガウンで身を固めなければならない。これから暑くなるので、ますますたいへんである。

この点、最近、朗報があった。厚労省がガイドラインを改定し、唾液サンプルでもPCR検査を認めるようになった。これは臨床データが蓄積されたからである。唾液サンプルでも、鼻粘膜サンプルと同程度の精度が担保できることがわかった（ただし発症九日目以内など、いくつかの条件がつく。成田空港検疫で唾液サンプルを認めているかどうかはこの原稿執筆時点で確認できなかった）。唾液なら痛い思いもなく自分でとれる。

唾液は、唾棄すべきとか、眉唾とか、唾をつけるとか、あんまりいい意味で使われることはないが、人体からにじみ出る液として決して軽んじられるべきではないことは、唾液に代わって声を大にして言っておきたい。

唾液は、耳の付け根に位置する耳下腺、歯茎の下にある顎下腺など、特殊な分泌腺組織が作る特別な液体であり、普通の大人なら一日一リットルは分泌されている。主な作用は口腔内を保湿し、食べ物を食べた時の咀嚼を助けることだが、より積極的な防御作用も備えている。唾液にはリゾチームという強力な細菌分解酵素を始めとする殺菌成分が含まれていて、口から入ってくる雑菌をやっつけてくれる。それから口内のpHが酸性になるのを防ぎ、虫歯の進行を防いでくれている。

さらにアミラーゼやリパーゼといった消化酵素が大量に含まれていて、食べ物の消化を促進してくれる。新海誠監督のヒット映画『君の名は。』には、神社の娘に生まれた主人公が儀式で「口嚙み酒」を奉納するシーンが出てくるが、あれはまさにこの唾液アミラーゼをお米にくわえて、デンプンを糖化し、その糖がアルコール発酵することで作られるお酒である。

普段ならこのように活発な分泌活動をしている唾液腺が、それゆえにウイルスに狙われることになってしまった。ウイルスは細胞の合成システムを乗っ取って自己複製する。なので盛んに酵素生産をしている唾液腺は格好のターゲットとなる。

おまけにコピーされた新たなウイルス粒子は、唾液と一緒に口内に分泌されてくるから、新しい宿主を求めて体外に出るチャンスが生まれる。唾液のリゾチームも残念ながらウイルスには作用しない。そう言えば、中学校の先生が、指をたっぷりなめつつ答案用紙を配るの、とーってもいやだったなあ。

（二〇二〇・七・二）

ポストコロナの大学像

都市ロックダウンに巻き込まれ、ニューヨークに足止めされて早四ヶ月。感染は全米を見ると南部を中心にまだまだ増加傾向にあるが、ニューヨークは減少傾向にあり、かなり落ち着いてきた。しかし、道行く人は皆、しっかりマスクをしている。

ハカセはといえば、米国の大学も日本の大学も、すべてネットを通じたオンライン授業になったので、先生も、学生も、どこにいてもいいことになり、いつでも受講でき（多くの授業は録画され、見逃した学生はあとからでも見られるようになっている）、どんな姿勢・格好をしていてもかまわないことになった（アクセスが集中してサーバーが不安定になるのを避けるため、学生側はだいたいカメラを切っている）。

オンライン授業でも、スライドや資料を提示したり、数式を書いたり、場合によっては実験を見せたり、といくらでもできるし、学生からの応答も、チャットやレポートで集めることができるので、知識や理論の伝達、課題の討議といった点では十分に成り立つ。

これが時空を超えていくらでもできるようになったわけだから、真の学問の自由が確立された、といえなくもない。だがしかしそうなると、キャンパスに集って学ぶ、という従来の大学の意義はいったいどこにいってしまうのか、ということがあらためて問い直されることにもなるだろう。

東京の大学は一時期、広くて新しいキャンパス・校舎を求めて、郊外に移転するブームが起きた。ところが、最近は、また、どんどん都心に回帰することになった。受験者動向などのデータから、郊外キャンパスがあまり支持されないことがわかったからだ。若者たちは、大学に行きたいというより、都会に行きたいのである。そして、彼ら彼女らが求めているのは、そこでの新しい友だち、先輩、異性との出会いや交流である。つまり、家族や地元の束縛から脱して、新鮮なニッチがほしいのだ。ニッチとは生物学用語で、生態学的地位という意味だが、語源はネスト＝巣、と同じで、自分が住むべき場所、ということ。

実家のベッドに寝転がって、オンライン授業を眺めているだけでは、勉強面はよいとしてもニッチとしての大学という面に触れることができない。

アメリカの古い大学、たとえばハーバードを見てみると、学生の多くは大学キャンパス内の学生寮に住んでいる。そして学生寮ごとに伝統や文化があり、そこで出会った友だちが一生の親友となり、あるいはともに起業したりすることになる。つまりキャンパスの中にニッチがある。

ハカセが勤務しているのは、青山学院大学、略して青学、なのだが、青学関係者は、よその人が、うっかり、ああ青山大学ですね、などと言おうものなら、憤然とした気分になって、いえ青山学院大学です、と訂正を求めることになる。これは、東京大学、京都大学といった単に地名が冠されている学校とは違う、創立以来の歴史的プライドがなせるわざである。というのも、明治期、日本にやってきた宣教師たちと、日本の理想主義者たちが意気投合して作り上げたニッチとしての学び舎、つまり「学院」が、大学の母体となっているからだ。

ということで、ポスト・コロナ時代の大学のあり方についてのハカセの提案はこうである。講義はすべてオンライン化してしまう。そのかわり、キャンパス内に、学生寮をたくさん建造して、学生諸君はみな親元を離れて、ここで四年間、寝食をともにし、自分たちのニッチとコミュニティをしっかり作ってもらう。これが大学本来の姿。もちろん、青学キャンパスは、日本一おしゃれなアドレスに位置しているので、ここに住むにはそれなりの入試を突破してもらうことになります。

（二〇二〇・八・六）

PCR in NYC

そろそろ日本に戻らねばならないので、念のため、もよりのCityMDに出かけた。CityMDとは、ニューヨーク市のいたるところにあるチェーン店型クリニック。言ってみればコンビニ医院。予約はいらず、行けばすぐに誰でも診てくれる。二十四時間いつでも開いていて、緊急対応もしてくれるので、たいへん便利だ。

ここでコロナウイルスの検査を受けることができるのだ。最寄りの場所に行ってみると、前の歩道に何人かの人が佇んでいた。見ると足元に赤マルシールが貼られていて、それに沿って順番待ちをしていた。待合室に入ると密になるので、こうやってソーシャルディスタンス（約二メートル）を離して待つ。歩道が広いとこういうことも簡単だ。聞くとみんな検査である。最後尾の赤マルに着く。ニューヨーク市では、誰でも希望すれば、症状の有無にかかわらず検査を受けることができる。しかも無料。

順番が来ると、医院の中に入るが、目の前にあるのは無人の端末。ここで入力を行う。運転免許証を持っていれば、それをかざすだけで個人アカウント登録完了。名前を呼ばれて、個室に入る（これがいくつもあるので、どんどん人がはける）。医療ガウン、マスク、ゴーグル、ゴム手袋を着けた医療スタッフが対応してくれる。

「検査は二通りあります。第一は、ウイルスの有無を調べるＰＣＲ検査。綿棒で鼻の奥からサンプルを採取します。もうひとつは、感染履歴の有無を調べる抗体検査。これは腕の静脈から採血します。結果は五日ほどするとメイルでお知らせしますので、ネットのサイトを見てください」

「では両方の検査をお願いします」

「はい、わかりました」

医療スタッフはわたしを診療イスに座らせると、上を向くように指示して、長い綿棒を取り出した。

「どちらの鼻の穴にしますか」

「ああ、では左でお願いします」

採取は一瞬でおわった。綿棒を鼻の奥に突っ込まれると、涙が出たり、くしゃみが止まらなくなる、という話を聞いていたのだが、そんなことは全然なかった。粘膜にウイルスが存在していると、そのＲＮＡが逆転写酵素でＤＮＡにコピーされ、以下、ＰＣＲ増幅法で検出されることになる。

医療スタッフは鼻粘膜サンプルをチューブに移し替えると、手袋を取り替え、今度は採血にかかった。これも非常に手際よく、ほとんど痛みなく、数ccの血液が試験管に採取された。この中に抗コロナウイルス抗体があれば、抗体検査陽性である。過去に感染した経験があり、すでに免疫ができているのでかかりにくくなる、ということ。つまり〝免疫ライセンス〟を得たことになるので、今後、行動範囲が広がり、安心にもつながる。

最後にお医者さんが一瞬だけ現れて、ハロー、何かご質問は、と聞く。一応、検査はすべて医師の監督のもとに行われています、ということ。サンプルはCityMDから、民間の検査会社に送られ、そこで大量の検査処理がほぼ全自動で行われる。

コロナ問題が勃発して以来、米国ではとにかく検査検査によって感染を把握し、隔離と行動規制によって拡大を抑え込んだ。一時期は五千人規模の感染者が連日続出する緊急事態となったNY市も、最近は百人以下に収束し、第二波も来ていない。結局、多民族・多文化が集積する当地では、正確な数字を把握し、数字によって規制および規制の緩和を進めるしか合理的な方策はなく、それを徹底することによって、コロナ禍をなんとか凌いだ。

さて、数日後、結果が届いた。いずれも陰性。コロナにかかっていないし、かかったこともない、ということだ。抗体は感染した人でも消える場合がありとの報告もあるが、免疫はないものとして、今後とも、注意して行動するしかない。むしろ日本で感染者がまた増えてきたので心配である。


（二〇二〇・八・二七）

ハカセブジキコクス

長らくニューヨークに足止めされていたハカセ。ようやく日本に戻れる目処が立った。ひとつにはニューヨークの状況が一段落したこと。これも厳しい都市ロックダウンと、かつてはあれだけ自由に振る舞っていたニューヨーカーの自制ある行動によるところが大きい。ニューヨーク―東京便も増発され、安全に移動しやすくなった。ハカセもなんとかチケットを入手し、帰国の途につくことができた。飛行機は座席数を定員の三分の一以下に制限し、乗客はバラバラに座る。例えば四列シートなら通路側の端と端だけ。まるで受験会場のよう。ハカセはエコノミー席を買って後ろの方に座ったところ、幸いその列はハカセだけ。身体を横にすれば足を伸ばして寝ることができた。

恐れていたのは空港についてからのこと。検査待ちで着陸しても何時間も機内から出られない。検査の結果が出るまで、空港待合室に作られたダンボールベッドで寝泊まり。空港からは、タクシーを含む公共交通機関の利用禁止、など散々な体験談を耳にしていた。ところが、ここに来て検疫オペレーションが大幅に改善されていた。まず空港に到着すると、すぐに飛行機から降りることができた。検査もテキパキ。なかでも大改革は、ＰＣＲ検査を抗原検査に変えたことだった。

ＰＣＲ検査では鼻の奥の粘膜サンプルを得るため、どうしても看護師による採取プロセスが必要だったが、抗原検査のサンプルは被験者の唾液。なので自分で採取することができる。待機エリアで、ソーシャルディスタンスをとって順番を待つと、呼ばれてプラスチック製の試験管と小さな漏斗をくれる。採取場所もプライバシーに配慮されていて、選挙の投票会場のように個別の仕切り区画に入る。正面に採取法が書いてある。「口の中につばをため、漏斗を使って採取してください。目印の線に達するまで繰り返してください」。2ccほどの量が必要なのだが、これは意外とたいへん。「泡だてないようにしてください」。赤ちゃんや、うまく唾液が採取できない人のために、鼻粘膜検査もオプションで残されている。

抗原検査は、この唾液サンプルに、検査キットを入れるだけ。すぐに結果が出る。抗原検査のキットは、妊娠チェッカーみたいなスティックの先端を、試験管の唾液に浸すと毛細管現象が起こり、もし唾液中に新型コロナウイルス粒子があれば、スティック中に仕込まれている抗体と反応、それが検出窓に発色する仕組み（もちろん被験者は、検査の実際を見ることはできず、待合室で待っていると一時間ほどで番号が呼ばれ、結果を知らせてくれる）。

ハカセは、ニューヨークでも帰国前チェックとして、自発的に鼻粘膜ＰＣＲ検査と血液の抗体検査を受けて陰性だったので、この抗原検査も心配する必要はほぼなかった。案の定、陰性。ハカセは三大コロナ検査を全部受け、すべて陰性だったことになる。

これで解放されることになるが、空港からの足も整備されていた。専用の感染防止ハイヤーをネットで予約できるようになっているのだ。ワゴン車ハイヤーの運転席と客席のあいだに透明シートが張ってあり、冷えたペットボトルのお水までくれるサービスぶり。

むしろ驚いたのは東京の街の様子だった。空港の徹底した防疫措置に比べると、ハイヤーの車窓から見える人々の様子はあまりにも普段どおり。一応、みんなマスクは着用しているものの、道行く人々は割と密な距離で歩いているし、レストランや商店も人がたくさん入っている。二〇二〇年四月、五月より感染者数は増えているというのに大丈夫なのだろうか。今後の推移を注視するしかない。なにはともあれハカセの帰国報告でした。

（二〇二〇・九・三）

研究者の昼メシ

ニューヨークの友人からこんな知らせがきた。「ルパンに続いて、とうとうカイザーもダメになりました！」。ああ、なんということだ。私たちの憩いの場所がどんどん失われていく……。

ルパンとは、Le Pain Quotidien、カイザーとは、Maison Kayser。今や東京にもあるのでご存知の方も多いと思うが、おしゃれな街のベーカリーである。ルパンは、ブルッセル発（Le Pain Quotidienとは、フランス語で〝毎日のパン〟の意）、カイザーはパリ発、どちらも焼きたてのおいしいバゲットや甘いデニッシュ、フルーツタルトなどが売られており、こうばしい匂いでいっぱいの店内でちょっとした食事と喫茶ができるようになっている。次々と出店を増やし、これでニューヨークのパン事情もかなり向上されたのであった。

研究に振り回されていたポスドク時代なら寸暇を惜しんで実験に邁進していたから、ランチも大学のカフェテリアから急いで買ってきたピザのスライスなんかで済ませていたし、そもそも食事など何でもよかった。

しかし、人生も後半になってくると、つかの間のひとときというものがしみじみ大切になってくる。さてハカセも隣の研究室の同僚を誘って、ロックフェラー大学近くのルパンに行き、一息ついた。今日は何にしようかな。ハカセは、クロワッサンにハムとスイスチーズを挟んでもらい、飲み物はカフェオレに。友人は、焼いたベーグルに熱いバターとクリームチーズのせ。飲み物はミルクティー。

しかしすべてはコロナが襲いかかってくるまでの話。二〇二〇年三月のロックダウン以降、ルパンもカイザーも含めて、ニューヨーク中の喫茶店、レストラン、バーはテイクアウト以外はすべて休止、まったく外食ができなくなってしまった。四月、五月、六月とニューヨーカーはずっとアパートにこもりきり、不安で陰鬱な日々を過ごした。六月下旬になって、ようやくお店の一部開業が許されたが店内飲食はダメ、店外の路上に設けられたわずかな野外席でのみ飲食可となった。

しかしハカセ行きつけのルパンもカイザーも開かなかった。やはりパン屋さんのような回転の早い食材のお店はいったん閉鎖するとなかなかもとに戻せないのか。マンハッタンの路面店だから家賃も高いはず。結局、友人の知らせでは、経営会社が倒産（米国ではチャプターイレブンという。日本でいう民事再生法の条文のこと）、ルパンもカイザーも今後店舗は別会社が引き継ぐのか、なくなるのかわからないという。

ニューヨーク州のクオモ知事とニューヨーク市のデブラジオ市長は、いずれも経済再開に極めて慎重で、都市ロックダウンを継続するとともに、人間の往来も規制している（国外はもちろん、国内でも感染者数が多い州から来た場合は十四日間の隔離）。いまだに飲食店は再開の目処が立っていない。九月末から店内の客の人数を定員の二十五％に制限して営業を許可するらしいが、正常化するのはいつになることやら。六ヶ月にわたって休業を強いられたダメージから回復できるのはいったいどれくらいの店舗だろう。街も様変わりしてしまうにちがいない。コロナがもたらした都市の動的平衡、といえなくもないが、当事者たちのことを思えば、あまりにも残酷な話である。

そういえば思い出したことがひとつ。大昔、ハカセが京大で学生時代を過ごしていた頃、昼休み、質問しに研究室を訪問したら助教授の先生がいない。隣の助教授の先生もいない。二時間ほどして行ってもまだいない。通りかかった院生に聞いたら「ああ、あの人たち、いつも進々堂」。進々堂とは京大キャンパスの近く、百万遍にある洋館の老舗ベーカリー。今になってみると、その気持ちがよくわかるというもの。にしてもちょっと昼休み長すぎ。

（二〇二〇・一〇・一）

コロナの年のノーベル賞

今年（二〇二〇年）のノーベル医学・生理学賞の受賞者が発表された。C型肝炎ウイルスの発見に寄与したハーベイ・オルター、マイケル・ホートン、チャールズ・ライスの三氏である。今年、世界中がコロナ禍によって混乱をきわめているさなか、ノーベル賞もウイルス関連だった。選考委員会もそこを狙ってきたのかな。福岡ハカセにとっては、どの名前も見覚えがあるので感慨もひとしお。そのことをちょっと話してみたい。

一九七〇年代、ウイルスが原因となって発症する肝炎にはA型、B型が知られていた。しかし、A型のウイルスも、B型のウイルスも関係していない肝炎があることがわかってきた。オルター博士は、チンパンジーを使って輸血実験を繰り返し、病原体が血液に潜んでいること、細菌サイズのフィルターをも通過することから、細菌よりも微小なウイルスが原因と推定し、非A非B型肝炎と命名した。が、病原体は謎だった。つまり人間がまだ知らない「新型」だった。新しい病気の発見者オルター博士がまずは受賞者になることはまことに順当である。

世界中のウイルス学者たちが血眼で原因ウイルスを探したが、いくら電子顕微鏡で炎症を起こした肝臓を探索してもウイルス粒子の発見には至らなかった。「新型」の肝炎ウイルス、すなわちC型肝炎ウイルスが発見されるには、十数年の時間が必要だった。これを成し遂げたのは、ベンチャー製薬会社カイロン社の若き研究者マイケル・ホートンである。

彼は画期的なウイルス探索方法を考案した。肝炎を発症したチンパンジーの血液中には原因ウイルスの遺伝子が含まれているはずだ。そこでまず、血液中のあらゆる遺伝子を採取し、それをシャーレの上でタンパク質に変換した。しかし、ここにはチンパンジー自身の遺伝子由来のタンパク質も多数含まれている。ウイルス由来のタンパク質だけを釣り上げるため、抗体が利用された。肝炎を発症したチンパンジーの血液中にはウイルスに対して結合する特異抗体ができている。それを釣り針に使ったのだ。抗体に目印をつけ、それが結合するのがウイルスのタンパク質である。

この作業はたいへんな労力を要した。大量の砂粒の中から、一粒の砂金を探し出すようなもの。しかしホートンのチームはこれをやり遂げ、ウイルスのタンパク質を突き止め、そこからウイルスの遺伝子情報を解読した。C型肝炎ウィルスの発見だった。一九八九年、「サイエンス」誌に華々しく論文が発表され、当時、ニューヨーク市のロックフェラー大学で暗いポスドク生活を送っていた福岡ハカセは、まぶしい思いで読んだのを今でも覚えている。

ひとたび遺伝子情報がわかれば、それをもとにＰＣＲ検査を行ったり、ウイルスタンパク質を抗原として抗体検査を行うことも可能となる。これによって輸血製剤の安全性が確保されることになった。

ホートンの所属するカイロン社は抜け目なく、C型肝炎ウイルスの遺伝子情報に対して論文を発表するよりも先に特許を取得。しかもこの特許が完璧で、遺伝子情報（つまりウイルスタンパク質の配列情報）を細かく分割して、そのすべてに逐一特許を申請していた。こうするとちょっとだけ変更を加えた特許を後追い申請することができなくなり、ライバル製薬会社の追随を振り切ることが可能となるのだ。

しかしウイルスの正体が判明したとしても、そのウイルスが原因となって発症する肝炎を治療することまではできない。ちょうど、私たちが新型コロナウイルスを前に戸惑っている今現在と同じ状況である。そこに第三の男、チャールズ・ライスが登場するのだが、彼は、福岡ハカセが客員をつとめるロックフェラー大学の先生。続きは第二章で。

（二〇二〇・一〇・二二）

天気予報とコロナ

ノーベル賞週間は、一陣の疾風のごとく過ぎ去った。今回は、ハカセがどうしても気にせずにはいられなかった、もうひとつの〝一陣の嵐〟の話をしたい。

嵐というのは、文字通り台風のことだった。ハカセは、この週の週末の日曜日、誰にも邪魔されないようにまるまる一日、完全休日を確保していた。今年（二〇二〇年）、コロナ禍で引きこもりを強要されていたゆえ、この日だけはちょっとした小旅行を実現し、秋を満喫しようと前々から計画していたのだ。それは箱根・芦ノ湖にワカサギ釣りに行く、というプランだった。

ところが台風接近である。雨と風は釣りの大敵。なんとか台風が弱まるか、それるか、はたまた早めに通り過ぎることを祈っていたのだが、太平洋上に発生したこの台風、発達しながらも、実にゆっくりと進み、しかも逆「つ」の字型に日本の太平洋岸に上陸するおそれありで、各地にかなり激しい雨をもたらしていた。おまけに台風の進路と暴風雨圏を示す〝予報円〟がことのほか大きく、このままでは芦ノ湖を含む全域が雨雲に飲み込まれてしまう！

前日の土曜日も朝から強い雨。ハカセは仕事で都心にでかけたが、窓の外に雨がずっと降り続いていた。これは難しいかなあと半ばあきらめながらも一縷《いちる》の望みにかけた。釣行は朝早いのでその日は早めに就寝した。明け方、起きて外を眺めるとどうだろう、空はまだ暗いものの雨は上がっている！　荷物をまとめ芦ノ湖畔についた頃には空はあかあかと明け、雲の切れ間から陽の光が静かな湖面に射し、水を真っ青に照らし出した。まるで絵本『よあけ』である。

ボートに乗って沖合に出て、いそいそと釣り糸を垂れる。ワカサギは、糸にくくったたくさんの小さな針にアカムシという餌をつけて釣る。しばらくするとピクピクとアタリがあり、ちょっと待ってから釣り竿を引くと、きらきらしたワカサギが鈴なりになって踊っていた。大漁である。うれしい。お昼ごろには完全に晴天となる。湖水がひときわ青く、湖を抱く山肌には紅葉の予感が広がっていた。気がつくと、向こうに富士山の山頂がくっきり。

それにしても、みなさん、このところ天気予報があまり当たらないと思いませんか。降雨確率も台風の進路もあてにならない（結局、台風は偏西風に押し戻されて太平洋の南にそれてしまった）。これはあくまでハカセの邪推だが、天気予報の精度が悪くなったのも、コロナと関係があるのではないか。

というのも、上空の気温、気圧、風向きなどの重要データは、実は、飛行機が集めてくれている。それを世界気象機関のサーバーが集計、各国の気象庁やお天気サービスが利用している（この仕組みをＡＭＤＡＲ〔航空機気象データリレー〕という）。コロナのせいで、大幅に飛行機が減便されてしまったので、以前のように予報のためのデータが十分でない可能性があるのだ。ウイルスはこんなところにまで影響を及ぼしうる。

少年の日々、ハカセは、よく東京近郊に釣りにでかけた。しかし大人になるにつれ、よしなしごとや憂いごとがどんどん増えて、まったく出かけることができなくなってしまった。まさに、レイチェル・カーソンいうところの「センス・オブ・ワンダー」を見失ってしまった。

なので、人生も一巡を終えた今、もういちど原点を取り戻そうと考えた。それが近郊の淡水小物釣り探訪の再開である。読者諸兄も、コロナ禍で時間ができた分、自分がかつて好きだったことと、一生懸命だったことを思い出して、もう一度、やってみてはどうだろうか。人生百年時代、花はまだ咲かせることができるはず。

（二〇二〇・一〇・二九）

ＮＹの振動《バイブレーション》

ニューヨーク在住の同業研究者からメイルをもらった。その日（二〇二〇年十一月七日・土曜日）のお昼頃、彼女は自宅アパートで調べものをしていた。すると突然、窓の外から騒音が聞こえてきた。ニューヨーク市内のこと、車のクラクションや通行人の怒鳴り声ならあまりにも日常茶飯事なので気にもとめないが、その音はいつもと違っていた。金属を打ち鳴らす音や拍手などが入り混じったその騒音は、遠雷のような轟音を伴って街全体を包み込む振動《バイブレーション》となって窓の外に広がっていた。

彼女ははっと気がついて、慌ててテレビをつけた。そこには、ニューヨークはもちろん全米各都市で歓喜の渦に包まれて旗を振る人、叫ぶ人、飛び跳ねる人、笑う人、泣いている人たちが次々と映し出されていた。

ニューヨークタイムズ紙のサイトを立ち上げてみると、大文字のヘッドラインが躍っていた。

BIDEN BEATS TRUMP（バイデン、トランプを倒す）。

そう、ついにこの瞬間がやってきたのだった。アメリカの次期大統領にバイデンが選ばれたのだ。トランプ政権が終わった。彼女も感激と興奮に包まれた。

十一月三日、大統領選挙の投票が行われ、夜半から開票が開始された。開票速報はいきなり異例の緊迫感に満ちていた。

バイデン楽勝の予想に反して、トランプの得票率が高く、州地図が次々と赤色（トランプの属する共和党のシンボルカラー）に染まっていった。負けじとバイデンも、東海岸と西海岸の都市部を含む各州を中心に地歩を固め、青色（民主党のシンボルカラー）の陣地を拡大している。くっきりと色わけされた地図は、国民の分断を如実にあらわしていた。

いつもなら明け方には大勢が判明するのだが、今回は全く違っていた。両陣営の勢力は伯仲、投票率が高く、どの地域でも票差は拮抗している。バイデンがやや有利に駒を進めていたが、残された五つの激戦州ではトランプの勢いも激しく、全く予断を許さない。

郵便投票の開票作業に手間取り、なかなか結果が出ず、四日になっても、五日になっても、空白の五州の帰趨は決まらない。じりじりと緊張が高まり、各地の開票場にはそれぞれの支援者が詰めかけ、一触即発の気配すら出てきた。

トランプは早々と勝利宣言のスピーチを行い、途中から票差が逆転した州では不正選挙が行われている、開票をストップしろと言い出した。

冒頭の、ハカセの知人研究者はこういうトランプが大嫌いだった。知性の発露は、自省、含羞、自己懐疑などにこそあるはずなのに、トランプには一切、それらがない。いつも、傲慢、自信満々、攻撃的で、自己に対する内省も、他者に対するリスペクトも微塵もない。ツイッターで暴言や放言を繰り返す。要するに品がない。

だから彼女はこう思っていた。今回の選挙でトランプにやめてもらうだけでは不十分だ。もっとズタズタになって敗北させないとならない、と。

現時点ではまだトランプは敗北宣言する気配がなく、選挙結果の検証を求めて裁判を起こす気らしい。最後の最後まで謙虚さがないのだ。

ハカセとしては、バイデン政権がトランプ政策の見直しを進めることに期待したい。特に、地球温暖化対策の国際的取り組みから離脱したり、移民ビザ発給を制限していること、つまり科学や科学者を軽視している点は大きく改善が必要だと思う。

ハカセは常々、ウイルスもまた自然の一部として、環境と人間との動的平衡を調整する利他的な存在だと主張してきた。結果的に、今年勃興した新型コロナウイルスが、米国を揺り動かし、わずかとはいえ市民に正気を取り戻させたと言えるのではないだろうか。


（二〇二〇・一一・二六）

2021 コロナはどうなる?

二〇二〇年は、新型コロナウイルス問題に明け暮れた一年となったが、二〇二一年はいったいどんな年になるだろうか。ワープスピードでワクチンが開発され、特例で緊急承認、米英などで接種が始まったが、これがどれくらい感染の拡大を抑制できるのか、まだまだ予断は許されない。

そもそも今回のワクチンは、RNAを注射するという新型ワクチン。これまでのワクチンは、ウイルスを不活性化したものか、ウイルスの一部のタンパク質を注射して身体の免疫系に〝準備〟を促すタイプのものだった。しかし、この方法だと、ウイルスを培養したり、不活性化を確かめたり、タンパク質を精製したりする工程に手間がかかり、その安全性を確認するのにも時間がかかりすぎる。

そのため、タンパク質の設計図であるRNAを直接、注射し、そのRNAから人間の細胞側にウイルスタンパク質を合成させ、これを免疫系に異物と認識させて、ウイルスに対する抵抗力をつけさせる、というのがRNAワクチンの考え方。RNAはタンパク質よりもシンプルな化学組成なので、わりと簡単・迅速に人工合成できる。

でも、これってコロナウイルスの感染と同じでは? と思った方、それは正しい。コロナウイルスも細胞に取り付くと、自身のRNAを細胞に注入し増殖を開始する。違う点は、ウイルスRNA全体を使うのではなく、抗原となりうる一部のウイルスタンパク質のRNAだけを、ワクチンとして使う点である。部分RNAなので、それがウイルス的に増殖することはない。

ただし問題がないわけではない。外来のRNAが侵入すると、それが何であれヒトの身体は異物が侵入したと認識し、免疫反応を起こす。正常な反応は自然免疫と呼ばれるが、過剰に起きるとアレルギー反応になる。なので、ワクチンとして接種するRNAが不用意なアレルギーを起こさないようにしなければならない。

そもそも身体には自分のRNAが大量にあるのに、どうして外来のRNAにだけ免疫系は反応するのか。

これを長らく研究していたのが、今回、いち早くRNAワクチンの開発に成功したバイオンテック社の研究者たちだった。人工合成したRNAに特殊な加工を施しておくと、自然免疫やアレルギー反応を抑制できることに気づいていたのだ。

それからもうひとつのハードルは、RNAワクチンをどうやって細胞の中に送り込むか、という点だ。

タンパク質のワクチンなら注射するだけで血液やリンパ液に入り、そこで免疫細胞に認識されるが、RNAワクチンは細胞の中に入る必要がある。コロナウイルスはこの点、巧みな細胞への接着、RNAの送り込みメカニズムを持っているのだが、単なるRNAにはそんな能力はない。

しかもＲＮＡは脆く、すぐに分解されてしまう。この点も研究が進んでいて、特殊な膜でＲＮＡをコーティングすることで、保護と細胞への接着を促進する方法が編み出されていた。今回、ワクチンをすばやく開発できた背景には、コロナ以前からの研究の蓄積があったのだ。

とはいえＲＮＡワクチンが大規模に使用されるのは今回がはじめてのケース。有効性が確認されたとはいえ、それは急いで行われた限られた治験でのこと。ＲＮＡから抗原タンパク質が合成され、それに対して抗体がちゃんとできているのか、免疫記憶はどれくらい持続し、感染の世界的拡大を本当に抑制できるのか、といった本格的な検証はこれからだ。また、アレルギーや未知の副作用の問題も顕在化する可能性がある。緊急時とはいえ、地球規模で壮大な人体実験が始まったといってもよい。

はたしてＲＮＡワクチンがコロナ禍の救世主になるかどうか、これから試されることになる。

（二〇二一・一・一四）

沈黙の春

また四月十四日が巡ってきた。福岡ハカセが、心から愛し、尊敬する科学者レイチェル・カーソンの命日である。享年五十六。

近くの花屋さんでカスミソウを買ってきて、花瓶に飾り、テーブルの上においた。その前に、カーソンの代表作、“Silent Spring”（沈黙の春）と、“The Sea Around Us”（われらをめぐる海）を並べておいて、しばし黙禱した。カーソンの本は、文章もすばらしいのだが、なんといってもタイトルがすばらしい。私の一番好きな言葉、〝センス・オブ・ワンダー〟（自然に対する畏敬の念）も彼女の本のタイトルだ。タイトルがすばらしいのは、彼女自身が、自然を研究する自然科学者（海洋生物学者）であると同時に、自然を心から愛する人、つまりナチュラリストであり、自然の精妙さと美しさを寿《ことほ》ぐ言葉を紡ぐことができる〝詩人〟でもあったことの証《あかし》である。これは、ずっと私自身もめざしてきたことであり、レイチェル・カーソンはハカセのロールモデル（そんな風になりたいと目指す人物像）でもある。

カーソンは白い小さな花が好きだった。なのでカスミソウを手向けたのだが、かなうことならミルクウイードを飾ってあげたかった。ミルクウイードとは米国の草地のあちこちに自生している雑草だが、渡りをする蝶、オオカバマダラ（モナーク蝶）の食草としてつとに有名である。

彼女は死の直前、友人のドロシーと土手に座り、風に吹かれながら、その風の中を、見えない糸に引かれるように、次から次へとひらひらと漂いながら西の方へ飛び去っていくモナーク蝶を何時間にもわたって眺めていた。彼女はその蝶たちがもう二度とここへ戻ってくることがないことを知っていた。カーソンは後にドロシーへの手紙にこのように記している。

「今日の午後、そのことを思い出しながら、その光景がすばらしかったこと、彼らが帰ってくることはないだろうと話したときも、何の悲しさも湧いてこなかったことに気づきました。そしてほんとうに、生きとし生けるものがその一生の終わりを迎えるとき、私たちはその最期を自然の営みとして受けとります」

彼女は自分の運命を、自然の流れの一つの帰結として静かに受け入れようとしていた。

原書“Silent Spring”の中にはペン画の美しい挿絵が入っている。ハカセが好きなのは、渓流を泳ぐイワナの群れが、水面近くに飛んできたカワゲラ（餌となる水生昆虫）を見つけて、身を翻してそれを追う躍動的なシーンを描いた一枚の絵である。ここに込められたカーソンの警告は、無制限に農薬を耕作地に大量散布することによって害虫を駆除することはできるかもしれないが、カワゲラのような自然界の小昆虫までもがダメージを受け、それが川魚の生存を乱し、今度は魚を餌にしていた鳥たちにも影響して、生態系全体の動的平衡が大きく乱される、そして最後には、鳥のさえずりが途絶えた「沈黙の春」がやってくる、というものだった。

カーソンが亡くなったのは、一九六四年。ちょうど東京にオリンピックが来る年の春。長らくがんと闘病していた彼女は永遠に旅立った。オリンピックが再び東京に来るはずだった今年（二〇二〇年）、ニューヨークのタイムズスクエアも、パリの凱旋門も、そして銀座の歩行者天国も沈黙の春を迎えている。目に見えないウイルスの拡散の連鎖が可視化されたことによって、人間が作り出した社会システムが機能不全に陥ってしまった。

カーソンが予言したとおり、システムのバランスを乱すことは一瞬でできるが、そこに再び平衡を取り戻すには途方もない時間がかかる。私たちは、もとの日常が戻る日を漫然と待つのではなく、別の生き方を考えるべき時に至っている。

（二〇二〇・四・三〇）

ウイルスは生命の環の一部

依然として新型コロナウイルス問題の収束が見通せません。このような地球規模の大事態が出現することは二〇一九年の終わり頃には全く想像できないことでした。

今回は、発生から約一年が経過した今（二〇二〇年末）、やや大きな視点から、コロナ問題が問いかけたものはなんであるのか、あらためて考えてみたいと思います。

まだ、ウイルスも細菌の存在も判明していなかった頃でも、人々は感染性の病気が存在することを知っていました。それは、〝ミアズマ〟によって媒介されると怖れられました。ミアズマとは日本語訳では「瘴気《しょうき》」、〝悪い空気〟のことです。これに触れると病気になると考えたのです。

ミアズマは、湿気が淀んだ場所や貧民窟などに集まっているとされ、人々はできるだけ、そのような場所に近づかないようにしていました。このような迷信的な考え方は十九世紀に至るまで続いて来ました。が、実は、ウイルスの存在が解明された現代社会でも完全に一掃されたわけではありません。それはコロナの発生源が、〝夜の街〟や〝観光地〟にあるというふうな言い方に現れています。

ウイルスは特定の場所に集まることはできません。なぜなら、ウイルスには、自走能力も飛行能力も遊泳能力も全くないからです。ウイルスは人間が培養し、人間が運んでいます。しかも、ウイルスは人間に攻め込んできたわけでもありません。まるで、性的合意が出来た男女のように、自発的に門戸を開き、積極的に引き入れているのです。

私たちの細胞にはウイルスが感染しやすいよう、あらかじめレセプターが用意されています。ウイルスがそこに着地すると、わざわざ細胞内への侵入を手助けする仕組みまであるのです。

今回、新型コロナウイルス感染が数千万人規模で世界的に広がったということは、それだけ人間が互いに往来し、交差し、接触した当然の帰結である、と言ってもいいのです。

原理的な思考実験をするとすれば、二〇二〇年のはじめ、新型コロナウイルス感染が始まったとき、世界中のすべての人間が、一斉に他者との交流を一切遮断して、完全な自己隔離を実行しさえすれば、二週間でコロナ問題は、トランプ大統領が言ったように「魔法のように消えてなくなった」はずでした。

二週間で、感染していない人はもちろんそのまま。感染している人はその間、免疫系がウイルスと戦い、ウイルスを破壊して回復。ごく一部の人は不幸にもウイルスとの戦いに敗れて亡くなりますが、宿主が亡くなると同時にウイルスも行き場を失います。これで終わりでした。もしそれができていたとすれば、東京オリンピック２０２０は予定どおり開催され、トランプも圧勝で再選されていたことでしょう。

でも、もちろんこんなことは現実には不可能でした。この社会では誰かが必ず働いていないとシステムが維持できない仕組みになっていますし、重篤な患者をウイルスとともに放置しておくこともできません。

ちなみに、アラン・ワイズマンの『人類が消えた世界』は、ある日、人間が急に消えたら（つまり自己隔離して仕事をしなくなったら、と同じ状況です）、世界はどうなるかシミュレーションした好著でした。都市機能はたちまち破綻します。人間が絶えずケアしていることが実に多岐に渡って存在しているのです。それがなくなると、地下鉄や地下街などのインフラは水没、電気やインターネット網も停止してしまいます。家畜たちは死に絶え、街路には雑草が繁茂しだします。ですから思考実験はあくまで思考実験でしかありません。

ウイルスに話を戻しましょう。いったいなぜ、長い生命の歴史の中で、宿主にとって迷惑以外の何物でもないように見える、ウイルスのような存在が許されてきたのでしょうか。それは、一見、害悪のようにしか見えないウイルスにも進化史上の存在意義があったからだ、としか考えようがありません。

ウイルスは、人間の細胞よりずっと小さく、細胞がサッカーボールならゴマ粒くらいの小さい粒子です。それ自体では呼吸も代謝もしていません。私の生命観からいうと「動的平衡」の状態にないので生命体とはいえません。動的平衡とは、自らを積極的に壊しつつ、絶えず新たに作り変える、そのバランスのことを意味します。

では一個の生命体とはいえないウイルスとは何物なのか。それは生命体の欠片《かけら》です。ウイルスは、DNAもしくはRNAがタンパク質や脂質の殻の中に入ったもので、単なる物質的な粒子です。単純な構造ゆえに、地球上に生命が誕生した最初の頃からある原始的な存在に見えますが、ちがいます。

ウイルスは元々、私たち高等生物のゲノムの一部でした。それがたまたま外へ飛び出したものです。そんな欠片が環境をさまようちに変化し、また戻ってきて、ちょっと悪さをしているのがウイルスです。今も絶えずさまざまなウイルスが高等生物から飛び出し、また飛び込んで来ています。つまり、ウイルスの起源は私たち自身にあるのです。

そして、ウイルスは遺伝子情報を個体から個体へ、さらには種から種へ、水平に運ぶという機能を担っています。おそらくこれが生命の進化に有益な促進作用をもたらしてきたのです。それがゆえに、ウイルスは今も存在し、宿主はウイルスを受け入れているのです。

ウイルスは生命の環の一部であり、自然の一員です。共存するしかありません。ウイルスに打ち勝ったり、撲滅したりすることはできないのです。それは無益な闘いです。

自然に親しむために、海や山に子どもを連れて行こう、などとよく言います。二〇二〇年は特にこのコロナ禍で行楽が制限されてしまいました。しかし、実は、私たちに最も近い場所にある自然は、とりもなおさず私たちの身体です。自然物としての身体は、絶えず動的平衡を保ちつつ、環境との間で相補的・利他的な相互作用をしています。私たちは自分一人だけで生きているわけではありません。これは何も金八先生のようなことをいいたいのではないのです（古いね）。

近年注目されているのは、私たちの消化管内に生息している腸内細菌との関係です。腸内細菌は、身体の細胞の数の数倍の規模で消化管に生息し、これまた動的平衡を繰り返しています。うんちの成分のかなりの部分は腸内細菌の死骸と、自分自身の消化管細胞の死骸です。絶えず壊されつつ、作り直されています。以前は、腸内細菌はただそこに寄生して栄養を掠め取っているのだと考えられていました。しかし最新の研究では、腸内細菌が積極的に宿主の健康に寄与していることがわかってきました。ひとつは腸内細菌が、消化管から宿主の免疫システムに刺激を与え、免疫系の調整に関わっているということです。アレルギーやアトピーは腸内細菌の乱れによって起こりやすくなるというデータもあります。さらには、腸内細菌がホルモンのバランスなどに作用し、宿主の心理状態やムードにまで影響を及ぼすと指摘している研究者もいるほどです。

同じことがウイルスにもいえる可能性があります。ひょっとするとウイルスもまた、私たちの身体という自然を取り巻く、相補的・利他的な存在かもしれません。ウイルスも長い目で見ると、集団に免疫を与えたり、人口を調整したり、あるいは社会を調整し、改革を促進する作用があると考えることができます。今年起きた数々の事件は、その帰結ともいえるかもしれません。ウイルスと宿主は共に進化し合う関係にあるのです。

コロナウイルスに感染しないよう心がけることが第一ですが、もし感染してしまったときも、私は内なる自然としての自分の身体の精妙さと強靱さを信じたいと思っています。

（二〇二〇・一二・三一）

特別編　阿川佐和子さんとの対談PART1

新型ウイルスの背後には必ず人間の営みがある

阿川　お忙しい中、お越しいただきありがとうございます。三年前（二〇一七年）、ヒアリ騒動が起こった際にこのページで解説していただきましたが、今回は新型のコロナウイルスが猛威を振るっているということで、困ったときのハカセじゃないけど、色々と教えていただきたいと思って。

福岡　わかりました。まずはちょっと過激なことを言いますけど、いわゆる「感染症」というのは、本当は存在しないんです。

阿川　なに!?　感染症なんかないってこと？

福岡　ウイルスは、昔からありとあらゆるところにいっぱいいます。この部屋にも新型かどうかは別にしてコロナウイルスはいるし、インフルエンザウイルスもいるでしょう。

阿川　ウイルスはどこの空気の中にもウヨウヨしているってことですか？

福岡　微粒子となって風に吹かれていますね。

阿川　顕微鏡で見えるんですか？

福岡　普通の顕微鏡では不可能です。電子顕微鏡という高性能のものでないと見えません。大きさは、花粉がドッジボールくらいの大きさだとすると、ウイルスはゴマより小さいくらいでしょうね。

阿川　そんな小さいの⁉

福岡　だから、花粉を防御するマスクでは、ゴマ粒は簡単に通過してしまいます。あと、今回の新型コロナウイルスは武漢から急に現れて、震源地から地震の揺れが伝わるように広がったようにみんな思ってるでしょうけど、これは診断技術があまりにも進みすぎたことによる、見かけ上の問題なんです。

阿川　うん？　じゃあ、武漢で発見される前からもともとあったんですか？

福岡　武漢にもウイルスはいたでしょうけれど、他のところにもいて、コウモリなどに取り付いて世界中を彷徨《さまよ》っていたんじゃないかなと。

阿川　そもそも、コウモリはなんでそんなにウイルスをいっぱい抱えてるんですか？　他にもコウモリから人間にうつった病例がたくさんあるでしょ？

福岡　犬や猫、ヘビやカエル、そして我々だって、色んなウイルスを抱えて、それを常に出したり入れたりしている。別にコウモリだけが汚いわけではありません。

阿川　じゃあ、どうしてコウモリばかりが色々な感染症の震源地のように言われるんですか？

福岡　可哀相なんですけど、バットマン的なダークなイメージがあるからでしょうね。

阿川　そんな理由なの!?

福岡　申し上げたように、ウイルスはどこにだっているわけですから。そして、最初に感染症が存在しないと言ったのはどうしてかというと、仮に新型コロナウイルスが私たちの身体に侵入してきたとしても、病気になる人もいればならない人もいる。さらに言えば、かかったこと、治ったことも分からない人がたくさんいる。当然彼らは人にうつしているかもしれない。

阿川　自覚症状がないまま……。

福岡　人間の身体は、ウイルスがやって来たら必ず病気になるというようなものではないんです。お金を入れたら飲み物が出てくる自動販売機みたいなアルゴリズムで生命を考えすぎると、間違った方向に向かってしまいます。むしろ病原体が身体に入ったときに、どう反応しているかという身体のレスポンスを注視しないといけません。

強力なウイルスだと人が死ぬので広がりにくい

阿川　とはいえ、これだけ脅威になっているのは感染力が高いからじゃないんですか？

福岡　いえ、感染力はそんなに高くないと思います。そうじゃなくて、今回の新型コロナウイルスは罹りはじめの軽症の期間が若干長く、その間に人々が移動することによってウイルスが伝達されやすくなるんです。

阿川　それが感染力ってことじゃないの？

福岡　感染力が同じでも、人が移動すれば、それだけたくさんの人にうつるリスクが高くなります。ちなみに、エボラ出血熱のような凶悪なウイルスだと……。

阿川　二人に一人は死んじゃうんですよね。

福岡　そう。ただ、強力なウイルスはあっという間に人を殺しちゃうので、広がりにくいんです。

阿川　そういうことか！　現状、みんな疑心暗鬼になって、ちょっと体調が悪いだけでも、「新型コロナウイルスじゃないか」と怯えていると思うんですけど、そのあたりはいかがですか？

福岡　まず、新型コロナウイルスはＰＣＲ検査という特別な遺伝子検査をしないと発見できないんですね。

阿川　ＰＣＲ検査って？

福岡　唾液や粘液からウイルス遺伝子を抽出して、特別な装置で増幅します。髪の毛を一本、犯行現場から取ってきたら犯人のＤＮＡ鑑定ができるのと同じ方法によって、ちょっとだけ存在してるウイルスのかけらを何度もコピーする形で調べるんです。

阿川　その検査は時間がかかるんでしょ？

福岡　コロナウイルス自体は以前から、何種類か存在していて、新型であるかどうかを鑑別するために些細な差異を調べないといけないので。ＰＣＲ検査はすごく感度がいい。だから……、

（突然、咳きこんで）ゴホン、ゴホン。

阿川　大丈夫ですか？　まさか新型コロナウイルスじゃないですよね……。

福岡　大丈夫だと思います。熱もだるさもありません。でも、ここに来るまでに電車に乗っていたら、すごい咳をしていた人がいたから、思わず違う車両に移ってしまいまして。

阿川　ハハハ。ウイルスはどこにでもいて、感染症なんてない、っておっしゃってたくせに、ハカセ、怯えたのか！（笑）

福岡　一応、離れといた方がいいかと思って。生物学者として、言ってることとやってることが違うじゃないかってお叱りを受けそう（笑）。話を戻すと、ＰＣＲ検査はあまりにも鋭敏であるがゆえに、ウイルスが一個か二個あったとしても、原理的には検出される。だから、健康な人に対してこの検査をやったら、なんの症状も現れていない人でも陽性反応を示す可能性があります。

阿川　じゃあ、手当たり次第に検査するのはよくないんですか？

福岡　かえって不顕性の感染者を増やしてしまうでしょうね。症状が出ていないということは、免疫力によってウイルスをやっつけてくれているわけですけど、そんな人でも検査で発見されたら、現状は隔離されちゃうわけじゃないですか。

阿川　うん。

福岡　さらに言えば、このコロナウイルスというのはＲＮＡウイルスといって、一本の鎖からできていて、二本の鎖のＤＮＡとは安定度が違うんです。

阿川　安定度が違うとどうなるんですか？

福岡　安定しないということは、突然変異を起こしやすい。しかも、ウイルスは人間の免疫系から逃れるものが選抜されて生き残っていきます。いま検査キットで引っかかるものが、引っかからなくなる可能性がある。

阿川　変身するから見つからない？

福岡　そういうことです。変異したものを見つけるには、ウイルスのＲＮＡを全部解析して調べなきゃいけないので、かなりプロフェッショナルな分子生物学を使わないといけません。だから、安易に病気じゃない証明として、検査を受けるのも危険なわけです。

数年後にはインフルエンザのような日常的な病気に

阿川　なるほど〜。現在は武漢を封鎖する対応が取られたりしているわけですけど、これは意味があるんですか？　ＳＡＲＳのときは、封鎖することで終息したと言いますけど、そもそも終息の定義もよく分からないし……。

福岡　終息とはこの病気が日常化するということですね。いまのインフルエンザのような存在になるというか。

阿川　じゃあ、ＳＡＲＳのウイルスがなくなったわけじゃないんですか？

福岡　なくなってないです。だから、いまでもＳＡＲＳに罹る可能性はあるし、そもそも今回の新型コロナウイルスはＳＡＲＳの変型版だから、どこかに潜んでいたものが、勃興したわけです。

阿川　じゃ、永遠に終息しないってことですか……？

福岡　まあ、私がこの新型コロナウイルスについて予言できるとすれば、数年後はインフルエンザのような日常的な病気になるということでしょうね。予防注射が打てるようになったり、ウイルスの増殖を抑制するような薬も開発されるでしょう。秋になったら、インフルとコロナの予防注射を打っておきましょうというようになる。

阿川　普通の病気になっちゃうの？

福岡　ただ、この「新型」という名前が病名につくときは注意が必要です。なぜこれまで知られていなかった病気が急に勃興したかというと、それはたまたまではなく、必ず人間の行為が裏にある。それこそ、新型ヤコブ病がそうです。

阿川　ハカセが長く研究されていた狂牛病から、人に感染する病気ですね。

福岡　ええ。狂牛病は、もとをたどるとイギリスの乳牛がかかった病気ですけど、まさに人間の行為が生み出した病気です。子牛は普通、母牛のミルクを飲んで成長しますが、ミルクは商品だから文字通り搾取され、子牛にはミルクの代わりに、他の家畜の死体を原料に作られた飼料、肉骨粉を食べさせたんです。その肉骨粉の中にスクレイピー病という奇病にかかった羊が混じりこんでいた。ただ、スクレイピー病にかかった羊を人間が食べても……。

阿川　うつらなかったんですよね。

福岡　そうなんです。でも、それが牛の中にいる間に、病原体が選抜され変異し、「新型」になったことで人間に感染するようになった。つまり、新型ヤコブ病は自然界の食物連鎖を勝手に組み替えた結果起こった病気なのですね。

阿川　今回の新型コロナウイルスは、どうなんでしょう？

福岡　想像ではありますが、元々は野生動物の身体に棲み着いていて、その野生動物にはほとんど危害を与えていなかったウイルスでしょう。それなのに、人間が生活圏を広げるために開発を行ったことで、これまでは存在していた生態学的なバリアがなくなり、接触する機会が生まれた。直接コウモリから人間にうつったのか、もしくはコウモリを食べた動物からかはわかりませんが、いずれにせよ人間とウイルスの距離が近くなったことが原因でしょう。

阿川　ははあ。ちなみにウイルスっていつから存在してるんですか？

福岡　ウイルスは遺伝子とその周りに殻がついている単純なものなので、太古の昔からいたと思っている人がいるかもしれませんが、高等動物が生まれたあと発生したものです。人間を含む高等動物は絶えず細胞分裂を繰り返して、DNAを増幅したり、RNAをつくったりしますけど、その中からたまたまちぎれて家出していったものがウイルスになりました。

阿川　ちぎれたのは遺伝子ですか？

福岡　そう。排泄物に含まれていたり、唾液や涙にだって破片が混じっている。それは大半は野垂れ死ぬんだけど、たまたま近くにいた別の生物の細胞に取りついた破片があったのです。

阿川　ここ居心地いいわって、引っ越しをしちゃう？

福岡　うん。家なき子がようやく宿を見つけるんですね。でもその後、一番住みやすいところ、つまり我が家に戻ってくる。でも戻ってきたときには遺伝子の破片はかなり変異しているから、もとの宿主に害をなすようになってしまったわけです。

阿川 はあー、都会に出て行った青年が不良になって故郷に帰ってきたら、色々な人間関係が壊れたというような話？

福岡 かなり近いです（笑）。

阿川 ハカセ自身は、新型コロナウイルスをこれだけメディアが取り上げていることに関してはどうお考えですか？　特に最近は咳をする人を見たらコロナと思えくらい過敏になってる気がしますけど。

福岡 そういう疑心暗鬼を生み出すほど、過剰にメディアが報道している側面はあると思います。誰もがかかる可能性があるし、誰もが保菌者になる可能性もある。できるだけ自分の免疫システムを信じるのがいいですよ。

阿川 それこそテレビや雑誌でも免疫が重要っていいますけど、具体的にはどうすればいいんですか？

福岡 免疫システムの大敵はストレスなので……。

阿川 仕事をやめて、好きなことだけすればいいってことですか？（笑）

福岡 忘れることですね。万物は動的平衡なので、良いことも悪いことも、ウイルスも病気も命さえもいずれは流れ流れて行きます。

阿川　苦にするなって話？

福岡　その通り。苦にすると、コルチゾールというストレスホルモンの分泌を促すんですね。コルチゾールは、「戦え！」とか「逃げろ！」って命令を身体に出すので、その分、免疫システムがシャットダウンされちゃうんです。ちなみに、免疫システムというのは、進化の長いプロセスで編み出されたもので、人間の場合はどんな病原体がやってきても戦えるように、百万種類くらいのランダムなミサイルを用意してくれてるんです。

阿川　百万種類も⁉

福岡　ただ、いざというときに適切なミサイルが出動するのはわりと時間がかかるし、コルチゾールが出るとさらに遅れてしまう。ただし、免疫システムは記憶をすることができて、一度目は出遅れても、二度目に同じ病原体がはいってきたら今度は許さんぞと臨戦態勢が作られます。

阿川　じゃあ、今後、日本人は新型コロナウイルスに対しても強くなるってことですか？

福岡　そうそう。

阿川　とはいえ、高齢者が感染したら危ないんでしょう？

福岡　高齢者は免疫システム自体が弱っているのと同時に、調節がうまくいかない場合が多いんです。免疫ってアクセルとブレーキみたいなもので、踏み間違えちゃうわけ。こうなる状態をサイトカイン・ストームといって、もう身体中あっちこっちで非常ベルが鳴ったようになって高熱が出たり、重度の肺炎になってしまいかねない。

阿川　免疫の話で言うと、私、一九八五年にエチオピアに二週間ほど取材に行ったんです。それまで、深夜のテレビ番組の仕事をしていたからか、一ヶ月に一度くらいの頻度で風邪をひいていて、「きみは弱いね」と言われていたのが、帰国したとたん、全然風邪をひかなくなったの。これはエチオピアで毎日のように太陽を浴びていたから強くなったんだと思ってるんですけど……。

福岡　いや、太陽はそんなに関係がないと思う。エチオピアで免疫システムが鍛えられたんじゃないですか？

阿川　免疫って鍛えられるの!?

福岡　たとえば、海外に行ってお腹を壊すってよく聞くじゃないですか。これは悪いばい菌が入ってくるからじゃない場合も多いのです。

阿川　えっ、違うの？

福岡　風土にあった腸内細菌が個人個人の身体の中に棲み着いています。ところが違う場所で違う水や食物を急に摂取すると、腸内にいた微生物が「これはなんか違うよ」となって増えたり減ったりして整腸作用のバランスが乱れる。それが海外でお腹を壊しやすい、ということだと思います。しばらく滞在すると、外と内のせめぎ合いの結果、自分の身体に順応が生まれ、それが経験になって、動的平衡の振れ幅が大きくなるんです。

阿川　あ、日本と異なる環境とちょっとお付き合いしたことで、逞しくなるわけですか？

福岡　ええ。あと、我々の消化管の中には、善玉菌もいれば、悪玉菌というのもいる。この悪玉菌が完全に悪と思うのは間違いで、悪玉がいないと免疫システムがサボっちゃうわけ。
阿川　ああー、今日は出動しないでいいよって、休んでばっかりいるわけね。
福岡　だから、ときどきちょっと怯えさせないといけないわけ。それもあって赤ちゃんはお母さんの産道から出てくるときに悪玉菌をもらったりもしています。
阿川　悪玉菌も大事だということですね。それで思い出したのは、いま除菌ブームじゃないですか。スプレーでシュッシュしたり……。
福岡　口内の雑菌を死滅させる液なんかもありますよね。我々の身体の内外にはありとあらゆる雑菌やウイルスが棲み着いてるわけだけど、それは外敵でも寄生体でもなく、共生者といえるものです。つまり、長い進化の過程で折り合いがついた、平衡関係にあるものが雑菌やウイルスとしてヒトの身体を出入りしている。これを無理やり一方的に排除すると、一見きれいになるように見えるけど、未知の悪者が来ちゃう可能性があります。

食品による免疫力アップは実は効率が悪い

阿川　要するに馴染んだ雑菌とは別の雑菌が空き部屋に入ってくる？
福岡　そうそう。他にも、あまりに除菌しすぎると、身体を守ってくれていた味方の菌まで除いてしまうので、本当に身体のためになっているのかという疑問ですね。
阿川　新型コロナウイルス対策の話に戻すと、先ほど、ストレスをためないことが免疫力をアップさせるには大切とおっしゃってましたが、よく食べ物で免疫力アップさせようなんて言われますけど、ほんとに効果はあるんですか？　キノコ類がいいとか、発酵食品がいいとか……。

福岡　うーん、結論から申し上げると、効果がまったくないわけではないでしょうけど、そんなに高くはないでしょうね。

阿川　えぇーっ、「週刊文春」でも特集されてたぞ！（笑）

福岡　免疫作用をアップさせる成分自体は自然界に存在しています。たとえば、動物実験でウイルスのかけらを注射して免疫をつけるテストをすることがありますが、注射の際、アジュバントという物質を一緒に注射液に入れておくと、免疫の応答が格段によくなります。

阿川　ワクチンの液の中に混ぜるんですか？

福岡　はい。それを入れると免疫賦活能力がアップするのです。しかし同時に副作用があることもわかっています。また、免疫賦活作用は、たとえばキノコから取ってきた多糖類などに含まれているんですね。

阿川　それを経口摂取するというのは……。

福岡　コラーゲンと同じ話ですよね（笑）。効果がまったくないとは言いませんが、効率は悪いです。

阿川　結局、苦にするなってことしかないんですか？

福岡　あとはよく寝ることですね。私は「迷走生活のススメ」を提唱しているんですが、迷走神経という変な名前の神経があり、副交感神経系の代表格です。心身をリラックスさせるときに働くもので、この神経系が免疫システムを活性化してくれるんです。

阿川　へぇ〜。

福岡　苦を去って、惰眠をむさぼっているような人は副交感神経系が優位にある。つまり、瞑想ならぬ迷走状態にあり、免疫システムがしっかりしている。阿川さんもできるだけ色んなことを苦になさらないように生活してください。

（二〇二〇・三・五）

特別編　阿川佐和子さんとの対談ＰＡＲＴ２

ウイルスは進化の仲介者として種と種を繋ぐ役割を果たしているが故にいまも生き延びている

阿川　お久しぶりでーす！

福岡　どうも〜。

阿川　お元気ですか？　二〇二〇年二月の中旬に、ハカセに直接お目にかかって新型コロナウイルスについて解説していただきましたけど、現在はニューヨークにいらっしゃるんですって？

（※編集部注　対談はオンラインで行われた）

福岡　二月の対談後、ガラパゴス諸島に行ってきまして、その後、ニューヨークの拠点に寄ったら、コロナウイルスが世界的な問題になって、帰国できなくなってしまったんです。

阿川　お仕事はどうなさってるんですか？　そちらではロックフェラー大学の客員教授を務めてらっしゃいますよね。そこは授業もあるの？

福岡　いえ、ロックフェラー大学は研究中心の大学院大学なんで、大人の会議やセミナーがあるだけで、それはリモートでやってます。あと、私は青山学院大学の先生でもあるので、そちらは五月からリモート講義が始まりました。

阿川　あ、ついに授業が始まったんですね。

福岡　四月には日本に帰っている予定だったのに足止めをくらってしまい、どうしたもんかと思っていたら、授業だけじゃなく、教授会もすべてリモートになったので、もはや世界のどこにいてもいいことになりました（笑）。

阿川　いいのか悪いのか（笑）。ニューヨーク市ではまだロックダウン中なんですよね？

福岡　はい。だからいまは引きこもりの日々です。ちょっとした散歩や、食料品の買い出しは許されていますが、不要不急の外出はいまも禁止されていますね。外に出ても、みんなマスクをしている状況で、アメリカ人がマスクをしてるのは非常に不思議な感じがします。

阿川　アメリカ人ってマスクをする習慣がなかったんでしょ？

福岡　医療関係者以外が日常的にマスクをつけることはこれまでなかったと思います。それがいまや、皆マスクを装着し、ソーシャルディスタンシングが徹底されている。たとえばエレベーターも他人と乗り合わないようにしているので、「あ、どうぞどうぞ」となることが多くて。

阿川　譲り合っちゃう。

福岡　ニューヨークの私の拠点は割と高層アパートなので、一度エレベーターを譲ってしまうと、なかなか来なくて、部屋に着くまでものすごく時間がかかっちゃいます（笑）。

阿川　大変。前回の対談時は、まだコロナ問題が起きてすぐくらいのタイミングでしたが、検査の難しさや、誰もが保菌者になる可能性があるという話など、あのときおっしゃっていたことのほとんどが当たっていましたね。さらにあのときは、「数年後には日常的な病気になる」とおっしゃって、実際にその方向に向かってますね。

福岡 ただ、ここまで世界的な大騒ぎになることまで予見できていなかったので、その点は私の不明でした。感染者、死者がこれだけ増えているので、対策はしなければいけないんですけど、前も少しお話ししたように「新型」という言葉に惑わされすぎてるような気はいまもしています。ウイルスに対する理解を深めることによって、もうちょっと冷静な対応があってもよかったんじゃないかと。

阿川 ウイルスに対する理解って?

なぜ人間に男と女がいるのかコロナは教えてくれた

福岡 まず最初に大きなことからお話しすると、今回のコロナウイルス問題が教えてくれた第一の教訓は、なぜ人間に男と女がいるのか、ということなんです。

阿川 そっち!? それ、コロナウイルスと関係あるんですか?(笑)

福岡 大いに関係あります。これまで人類はペストやスペインかぜなど、幾度となく疫病にさらされても、生き延びてきました。それは弱肉強食を原動力とするのではなく、多様性を内包する種のほうが生き延びられることを知らず知らずのうちに学んできたからなんです。

阿川 ハカセは、その種が生き残るのは強いからではなく、適応力が高かったからだ、といつもおっしゃってますよね。

福岡　それと同じで、どんな病気が来ても、運悪く重症化する人がいる一方で、軽症で済む人もいるから、人間は種を絶やさなかった。それは男女がいて、絶えず遺伝子情報や文化情報、そのほか様々なものを混ぜ合わせたり分けあったりしてきたことによって、多様性が生まれたからです。進化の長い過程を見てみると、生物が生まれた約三十八億年前から最初の二十五億年は女性しかいないんですね。

阿川　二十五億年もの間、アマゾネス状態だったんですか!?

福岡　もちろん、人類が生まれる遥か前です。我々の祖先である生物はメスがメスを産む、単為生殖でやってきました。

阿川　ミジンコと同じね。

福岡　そう。でも、全てメスだと、みんなが同じ性質を持っているので、何か一発、病気が来たりすると全滅してしまう可能性があるわけです。だから、ちょっと変わりものをつくっておいたほうがいい、と女子は考えてオスを生み出しました。

阿川　考えるなあ（笑）。私はミジンコを飼っていたことがあるんですが、ミジンコって通常はメスがメスを産むんだけど、水質が悪化したり水量が減ったりすると突然、オスを産む。生まれたオスとメスの間にできた卵は、通常と違ってカプセルに入っているから生き延びられる。それで環境が良くなったときに「いまこそ孵化するときだ」となるから、その種は絶えることなく続くんですよね。ミジンコはたまに出てくるオスのおかげで種が守られるって話と、ハカセのおっしゃってることは同じですか?

福岡　同じです。それがオスの出発点ですね。

阿川　いざというときにしかオスは役立たないけどね(笑)。

福岡　「いざ」はいつ来るか分からないし、「いざ」が来てからでは遅い場合もあるから、常日頃から色んなバリエーションを生み出そうとしたんでしょう。結果、オスの地位が向上してきました。

阿川　いざというときだけに必要だったものが、いつの間にか常備薬になったのか(笑)。

福岡　そうそう(笑)。

阿川　つまり生物は逆境にさらされても潜在意識として種を引き継ぐために生き延びる方法を持っているはずということ?

福岡　おっしゃる通りです。生物学者としては、そんなに慌てふためかなくても大丈夫だよ、と言いたい。

消滅させることはできないし、するべきでもない

阿川　とはいえ、科学の進歩によって、本能よりもデータや情報に頼り切ってる側面はありますよね。アメリカのトランプ大統領も「科学の力を結集してコロナに打ち勝つんだ」と言ってるけ

ど、打ち勝つことができるのかどうかも疑問だし、そもそも打ち勝つという考え方自体が本当に正しいのか私は疑問に感じているんですけど。

福岡　まさしくそれが第二のポイントです。今回の騒動で学ぶべきことは、ウイルスに打ち勝つことはできないし、打ち勝つべき敵でもないんです。

阿川　ウイルスは敵じゃないの!?　どうして？

福岡　前回の対談でもお話ししましたが、ウイルスは自分の細胞の一部がちぎれて飛び出したものなんですね。コロナウイルスはゴルフボールにティーピンが突き刺さったような形状をしているでしょ。あのボールのおまんじゅうの皮みたいな部分は人間の細胞の皮なんです。それはウイルスが自分の細胞から飛び出すときに、ヒトの細胞の皮をかぶって外へ飛び出しているので。

阿川　ずるい、私の洋服を着て家出したのか！（笑）　前回ハカセは、ウイルスというのは、元々人間の細胞だったものが他の生物に渡ったりした結果、不良になって戻ってくるから、身体に変調をきたすって。

福岡　あくまで、不良になるウイルスもあるって話なんですよ。むしろ、多くのウイルスは我々からすると帰ってきたかどうかもわからないんです。

阿川　親である私たちと衝突しないでおとなしく家に戻ってきた子たちもいるってこと？

福岡　ええ。さらに言えば、外をぐるぐる回っているうちに、外の有益な情報を親に伝えていることもある。覚えておいていただきたいのは、ウイルスというのは進化の仲介者として種と種を繋ぐ役割を果たしているが故にいまも生き延びているということなんです。

阿川　ウイルスって役に立つ部分もあるんだ……。

福岡　むしろ役に立っている部分のほうが多いでしょうね。たまたま不調をもたらす、新型コロナウイルスのようなものが悪役になってしまうだけで。遺伝子情報を違う種から違う種に運べるのはウイルスだけですから。そのウイルスの性質により、違う種の情報を取り込むことで、人類は進化を遂げてきた側面があるんです。

阿川　家出した子が、不良になって家をめちゃくちゃにすることもあれば、おとなしく家に帰ってきて「外の世界ってこんなんだよ」と教えてくれる場合もあるってことですか？

福岡　はい。ちなみにウイルスが帰ってくるとき、親である我々「宿主」は息子、娘が帰って来たときに、こっそり扉を開けてあげているんです。

阿川　おかえりなさ〜いって!?　親の情けか？（笑）

福岡　フッフッフ。ウイルスってトゲトゲみたいなのがついてるでしょ。あれは不良化している間に身につけたパンクファッションのようですけど（笑）、あれをがっちり繋ぎとめる磁石のような「レセプター」を我々は持っているんです。それがないとウイルスは身体の中に入ってこられない。だから、わざわざ人間の側から、そういう磁石を用意して、いつ帰ってきてもいいようにしているんです。

阿川　あえてウエルカムにしていると。

福岡　もともとウイルスと宿主は共存関係にあったので、いつ帰ってきてもいいようにしているんですね。ウイルスはかつて我々の一部であったし、これからも一部であり続けるので、これを消滅せしめたり、打ち勝つというのはそもそもできないし、するべきでもない。

阿川　そうは言っても、家出パンク少年が帰ってきて家を無茶苦茶にすることもあるんでしょ？　そういう悪ガキウイルスはどうすりゃいいの？

福岡　コントロールはできませんが、原理としては身体が過剰に反応しなければいいんです。ウイルスで重症化する人は、ウイルスが体内で悪さをしているというよりは「こんな不良が帰ってきた!!」と大騒ぎしちゃってるんですね。それが前回もお話しした「サイトカイン・ストーム」という現象です。

阿川　免疫が暴走しちゃうという。それは体質の問題ですか？

福岡　それもありますし、老人になると免疫の調整能力が落ちる。運転でたとえると、逆走してしまうことが多くなる。

阿川　どこでブレーキを踏んでいいか、アクセルを踏んでいいか分からなくなっちゃって。でも、元気な若者だって重症化することはあるでしょ？　あれはどうして？

福岡　若者は免疫力がありすぎるがゆえにアクセルを踏み込みすぎてしまうことがあるんです。とはいえ、多くの若者は悪者ウイルスを制圧できるように基本的にはなっています。

阿川　じゃあ結論としては、人類が科学の力で新型コロナウイルスに打ち勝ち、撲滅してやるという考えは間違っているんですね。

福岡　共存するというか、持久戦で押したり引いたりしながら、おとなしくなってもらえるよう、時間をかけて手なずけるしかありません。今年（二〇二〇年）の秋にでもワクチンが開発されるかも、なんて報道がありましたが、そんな簡単ではないし、実用化するまでには相当な数の臨床治験が必要ですから、あまり期待しないほうがいいと思います。

阿川　ワクチンは前もって、体内に抗体を作ることによって発症や重症化を防ぐメカニズムだと理解しているんですが、今、話題になっているアビガンやレムデシビルといった薬はウイルスに対して、どういう役割を果たすものなんですか？

福岡　グッドクエスチョンです。コロナウイルスというのは、カプセルの中にRNAという遺伝子の一種が入っている。それが人間の体内に入ってくると、自らをコピーして増え続けようとするんですが、その際、ウイルスが持ち込んでいる酵素が働いてコピーが作られます。アビガンやレムデシビルはその酵素を阻害する働きがあります。

阿川　コピーを止める薬ってことですか？

福岡　ただし、人間の体内の正常な細胞も自身のRNAを複製するために同じような酵素を持っている。そのため、アビガンやレムデシビルは自分自身に対する刃になってしまうんです。それが副作用です。

阿川　正常な細胞内の酵素に悪影響が？　抗がん剤みたいなもの？

福岡　近いですね。だからこういった薬は慎重に取り扱わないといけないんですけれど、重症化したときのひとつの選択肢としてはあり得るかなと。
阿川　一ヶ月ほど前、ハカセの連載エッセイに薬の話が書いてあって、「一定の効果があった」という科学者や専門家の言葉は、私たちからすると「効果あるんだ！　やったー！」と楽観的になりがちだけど、実際には「思ったほど効かなかった」という意味なんですって？（三三ページ「独特の話法」参照）
福岡　一定というのは、「ほんのちょっとしかなかった」ということです。もし劇的な効果があったら、もっと喜ぶような表現になります。「卓効があった」とか「劇的に改善された」とか。
阿川　ははあ。仮にワクチンや薬が開発されたとしても、コロナウイルスって変異しやすいんでしょ？　変異したら、そのワクチンは効かないの？　報道によると、「武漢型」もあれば、「ヨーロッパ型」もあって、すでに二種類のコロナウイルスが存在してるってことは、今後もっと変異したものが生まれる可能性があるでしょ？
福岡　そもそもウイルスの変異って、ほんとにちょっとだけ遺伝暗号一文字とか二文字が書き換わっている程度なんですよ。
阿川　そうなの!?　整形の、ビフォーアフターみたいに大変身ってわけじゃないんだ。
福岡　たしかにアメリカで流行しているタイプと、最初に武漢で発生したタイプは何文字かが書き換わっていますが、それによって感染性に差があるんじゃないかと言われていますが、まだ全然立証されていないし、ウイルスにとってそのくらいの変化はよくあることなんですよ。

阿川　そうか……。今は世界中、過敏に捉えている傾向があるんですね……。

福岡　遺伝子が精密に調べられるようになったことの功罪はあるでしょうね。ウイルスの遺伝暗号の一文字、二文字の書き換わりは、いまや科学的にすぐに突き止められてしまう。そこに人間の注意が引きつけられちゃうわけです。すると、「この違いはなんだ？　もしかして病原性の違いなんじゃないか!?」とつい考えたくなってしまうのは分かりますけど。

阿川　条件は整った！　あいつが犯人に違いない！　みたいな話ね（笑）。

福岡　そうそう。まさに見込み捜査になりやすいわけです（笑）。なので、科学者も自ら戒めなければいけないし、それをニュースとして受け取る一般の人も気を付けてほしいと思っています。「これが怪しいぞ！」なんてストーリーがあると、人間はつい引っぱられてしまいがちですが、ちょっと冷静に考えたほうがいい。

「密」の反対語「疎」を楽しめる気持ちが必要

阿川　科学は大切だけど、頼りすぎちゃいけない。

福岡　信用が寄りすぎるとよくないですね。その帰結として、個人も「データサイエンスによって行動すべし」となっていく可能性がある。今回のコロナ問題だと、スマホに専用アプリを入れて個々人の行動を把握できるようにしようという動きも一部ありますが、そんなことをしたら、それこそジョージ・オーウェルの小説『１９８４』みたいに、管理社会が強化されていくきっかけになってしまう。

阿川　日本でも、もうなりかけていますよ。先日の緊急事態宣言解除のときに安倍総理が、そういうアプリをもうすぐリリースすると言い出して。なんかイヤな予感がする。

福岡　そうなると、個人の行動とか、自由な生活、あるいはある種の道徳的な規範みたいなものまで制限される可能性がありますよね。これはかなり注意しないといけないと思います。政府にあれこれ言われずに行動することが基本的人権のはずなのに、全部アプリでコントロールされ始めると、やがてマイナンバー等に紐づけされて個人がデータ化される可能性があるんじゃないかと危惧しています。国民の側も、自らそういう方向になびいて行ってしまう人も多いかもしれない。なにか言われたほうが楽だから。

阿川　政府が「おまえの命を守るためなんだ」という正義のエクスキューズの下に、人々を統括するのに一番いい手法だと気づいたんじゃないかと思うとすごく怖い。

福岡　人々の行動をデータ化して、「お前、こんなときに集まって麻雀をしていただろう」なんて言われちゃうとね（笑）。

阿川　「文春砲」より怖い（笑）。ハカセは前回の対談では、コロナに対して我々ができることは、「苦にしないこと」とおっしゃってましたけど、いまも同じ考えですか？

福岡　同じです。生物である以上、新型コロナウイルスに関係なく我々は明日死ぬかもしれないわけですよね。そう考えると、悪く考えるより、希望を持って生きたほうがいいんじゃないかなと思うんです。

阿川　実際、自粛生活中にやっぱり強いなと思う人は、この不便さに文句を言うのではなく、笑っている人だと思うんですよ。

福岡　日本だと、「三密」を避けようと言ってるんでしたっけ？　「密」の反対語は「疎」だから、疎外とか疎遠を楽しめる気持ちが必要なんじゃないかな。というのも、阿川さんも私もどちらかというと都会で生まれ育っているじゃないですか。

阿川　はい。

福岡　これは田舎の人を悪く言っている意図は全くないことを前提に聞いてもらいたいんだけど、都会は基本的には田舎の人間関係が嫌になった人が集まってきて作られた場所だと思うんです。つまり、なるべく他人にかかわらず、朗らかに生きて、ひっそり死ぬというのが都会の人の価値でしょう。

阿川　そお？　私はそうでもないけど（笑）。

福岡　それなのにまた集まってきて、なにかムラ社会的なことをやるのは非常に愚かなことなので、この際、「疎」という価値を大切にしたほうがいいんじゃないかと思います（笑）。

（二〇二〇・六・二五）

第2章　がんを遠ざける迷走生活

筋トレより肝トレ

みなさん。いきなりビロウな話で恐縮ですが、うんちはなんでうんち色しているのでしょう。あんなに黄色いもの食べてないのになあ。答えは簡単、あの黄色は、血の赤色の成れの果て。ハカセが何度も何度も語っているとおり、私たちの生命は動的平衡。たえまのない分解と合成のさなかにある。血の赤色色素ヘモグロビンは酸素運搬の担い手。毎日、せっせと合成されつつ、どんどん分解されている。

この合成と分解の現場が、今回のテーマの肝臓。ヘモグロビンは肝臓で分解され、水に溶けやすい、黄色の色素ビリルビンになる。肝臓から胆嚢を経由して消化管に分泌される。そしてうんちを鮮やかな黄色に染める。だから、もしうんちが黄色くなくなったら、それは肝臓が黄色信号ということ。

肝臓機能変調の代表例が、肝炎である。肝臓細胞が侵入者に壊されていく症状で、一番の犯人はC型肝炎ウイルス。その解明に貢献があった三人の科学者が今年（二〇二〇年）のノーベル医学・生理学賞に輝いた。第一章では、ウイルスを追い詰め、その遺伝子を解明したオルター氏とホートン氏を紹介したが、三番目のチャールズ・ライス氏がまだだった。

ライス氏は、福岡ハカセの第二の母校、米国ロックフェラー大学の教授。福岡ハカセも面識がある。というよりも、私が研究していた同じ部屋に引っ越してきたのがチャールズ。そのとき、私はボストンのハーバードに移っていた。

のちに、私がかつての部屋を再訪してみると、チャールズが、すっかりリフォームしていた。教授室とレセプションエリアには赤絨毯を敷き、彼が毎日職場につれてくる愛犬が放し飼いになっていた！　院生やポスドクは結構迷惑しているのではないか。あたりを見回して私は聞いた。

「あのー、あの辺りに外へ抜ける扉、ありませんでしたか」

「ああ、あったよ、あった。でも邪魔だから壁に埋め込んじゃったよ」

「そ、そんな」

ホラー小説じゃないんだから……。私にとっては、よくそこを抜け、狭い螺旋階段を降りて出入りしていた、思い出の扉なのに。

チャールズがすばらしいのは、C型肝炎ウイルス遺伝子の大事な部分だけを取り出して、宿主細胞に感染させ、再び、ウイルス遺伝子が再生産されるサイクルを試験管内に作ったこと。これをレプリコンという。レプリコンができると、たくさんの薬物候補を効率よくスクリーニングして、ウイルスの再生産サイクルを阻害する物質を見つけ出すことができるのだ。

かくして画期的なC型肝炎ウイルス薬、ハーボニーが発見された。なのでノーベル賞は当然である（ただし、薬の発見自体はソフィア博士という人によるものなので、今後、彼もノーベル賞を取る可能性がある)。

肝臓のもうひとつの大事な機能は解毒作用。身体に悪いものはすぐに代謝してくれる。だから多くの生物で大きな場所と地位を占めている。

例えば、カニ味噌は、カニの脳ではなく肝臓。人体でも一〜二キロはある。精力旺盛な肝細胞から構成され、再生能力が高い。半分くらい取っても、トカゲの尻尾みたいにまた生えてくる。とはいえ、あまりに大量の毒が押し寄せてくると、さすがの肝臓も音を上げる。

私の動的平衡論を高く評価してくれて、しばしば自分のブログでも取り上げてくれていた友人に、勝谷誠彦さんがいた。この文春出身。毎朝アップされる森羅万象を論じた記事をいつも楽しく読んだものだが、アルコールによる肝炎であっけなく逝ってしまった。

彼はジムにかよって筋トレに余念がなかったのだが、ほんとうはもう少し自制ある「肝トレ」をすべきだったのだ。もうすぐ二回目の命日がくる。

(二〇二〇・一一・五)

お酒の失敗は誰のせい

福岡ハカセ、お酒で失敗したことありますか？　はい。あります。ハカセはわりといける口だと自分では思っているのですが、やはり飲み過ぎはいけませんね。ちょっといい気分になっていらないことまで口走ってしまうことはよくあります。えっ、ハカセはいったいどんなことを言ってしまうんですか。いや、そんな悪口とか暴言とかじゃないんです。

著名評論家Pにインタビューしたという話を知り合いの編集者Qに聞いたので、面白いね、とこれまた知り合いの出版人Rに酒の肴として喋ったら、それが回り回ってPの耳に入り、「インタビュー記事の内容が出版前に漏れるとはいったいどういうことだ！」とPが激昂して、Qに怒鳴り込んできた、とかそういう狭い界隈のツマラン話ですよ。

はあ、なるほど。他には？　そうですねえ。京都にいた頃はなかなかたいへんでしたね。京都のイケズぶり。それは大学みたいなアカデミアの中で特にすごいんです。見えない赤外線ビームみたいなものがそこら中に張り巡らされていて、東京からふらふら行ったハカセのような世間知らずはついついそのビームに触れてしまうわけです。でも怖いのは、その瞬間はビームに触れていることはわからず、だいぶんあとになってからネチネチと報復があることです。

たとえば？　ああ、教授から、用があるというので部屋に出向くと「あんた、去年の忘年会で『先生、意外とオシャレですね』というたやろ。あの『意外に』はよけいや。まあ、昇任はちょっとおあずけやな」。

ところで、アルコールはどうしてかくも人間を油断させてしまうのだろうか。アルコールとは化学的には、炭化水素の水素原子（－H）を水酸基（－OH）で置き換えた物質、と定義される。すると何が起きるか。物質をどっちつかずの性格にする、ということが起きる。炭化水素とは石油みたいな油系。一方、水酸基は水に近い。この両者の性質を併せ持つアルコールは油にも水にも親和性がある。水と油はほんらい相容れないが、アルコールはそのどちらにも入り込んでしまう性質があるのだ。まあコウモリみたいなもの。

細胞は細胞膜というシートで覆われることによって、外界と細胞内とが隔離されている。この細胞膜は油分でできている。だから外と内の水をわけることができる。神経細胞の電気伝達も細胞膜の内外にイオンやシグナル物質が出入りすることによって制御されている。アルコールを飲むとまず水（血液）に溶けて全身をめぐり脳にも到達する。

そして今度は油に対する親和性を発揮して、アルコールは神経細胞の細胞膜にも入り込む。すると、かっちりシートを張っていた細胞膜がすこしだけ緩んでしまうことになる。細胞膜が緩むと細胞機能が低下し、一種の麻痺状態が起きる。これが「酔い」ということだ。アルコールはまず脳の高次機能を司る大脳皮質を酔わせる。デリケートな部分ゆえにそれだけ攪乱にも敏感ということ。

大脳皮質は、理性、判断、抑止などを担っているから、ここが麻痺すると、人間のより深い本性が姿をあらわす。気が大きくなる、感情が揺すぶられる、よい気分になる、というのはそのためだ。しかし、さらにどんどん飲むとアルコールは感情や欲求を司っていた大脳辺縁系をも麻痺させてしまう。ついには、呼吸や心臓のうごきなどを司っている脳の最深部である脳幹をも麻痺させてしまうと、生命の危機に陥ってしまう。これが急性アルコール中毒だ。

われわれおじさんたちは、たくさんの失敗によって自分がどれくらいまで飲めるかだいたい知っているが、それを知らない若い人はかえって危ない。グラスをあげた瞬間、無数のコウモリたちが飛び立っているのだと知ってほしい。

（二〇一九・一一・一七）

秘密原子炉の謎

学生から質問を受けた。

「親戚に、がんになってしまった人がいて、放射線治療を受ける予定なのですが、放射線って核分裂で出てくるのですよね。核分裂を起こすためには原子炉が必要なはずです。ということは、大きな病院にはその地下に秘密の小型原子炉みたいなものが隠されているってことでしょうか？」

世の中の謎に疑問を持つことはとてもいいことだ。それが学びのきっかけになる。

現在のがんの放射線治療では、多くの場合、放射線の線源として放射性イリジウム１９２が使われている。ここから強力な放射線が出る。番号はあとの説明で出てくるので覚えておいて。

イリジウムは柔らかい金属なのでいろいろな形に成型できる。食道がんや咽頭がんでは、一センチほどの棒状ペレットが使われる。これを導入管の先に結合して遠隔操作装置で患部に入れる。舌がんでは、ホッチキスの針型、前立腺がんでは散弾状に丸くした玉が使われる。ホッチキスの針や散弾は、さすがに遠隔操作できないので、医者が自らの手で被曝覚悟で患者に装填する。

食道がんはその場で照射してから装置を外して終わりとなるが、舌がん、前立腺がんの場合は線源が体内に留め置かれるので、患者はこのあと分厚いコンクリートで囲まれた特別病室に一定期間、閉じ込められることになる。なので大きな病院には人知れず必ずシェルター部屋がある。食事は、放射線を遮蔽する鉛板ごしに供給される。舌がんのホッチキスは数日の照射後抜き取るが、前立腺がんの散弾は多数打ち込むので、あとは終生そのまま。イリジウム192の半減期は、約七十四日。その間、強力な放射線を放出しつづける。

がん細胞は増殖が早く、DNAの複製もさかん。その分、DNAが放射線の影響を受けやすい。DNAが損傷するとさすがのがん細胞も死ぬ。正常細胞も影響をうけるが、がん細胞よりも増殖がゆっくりなのでDNAの損傷もその分少ない。そして周囲の正常細胞がやがて組織を再生してくれる。やけどの治癒と同じ。なので、放射線治療はあとが痛い。

さて、この放射性のイリジウム192をどうやって作るのか。病院の地下に秘密の原子炉があるわけではない。もしそうなら大病院の近くになんかおちおち住めない。日本の場合、東海村の日本原子力研究開発機構の研究炉JRRなどで作られる。炉の中に、医療用にあらかじめ成型された普通の（＝非放射性の）イリジウムが入れられる。炉の中はウランが燃えていて、中性子が飛び交っている。この中性子をイリジウムにぶつける。普通のイリジウムは陽子77個、中性子114個を持っていて、質量数はその合計191。中性子がぶつかってくると原子核で止められて、中性子がひとつ増えて115個になる。これが放射性のイリジウム192。

この原子核は不安定で、中性子が崩壊し、陽子に変化する。この過程で、エネルギーが外に放出され、これが放射線となって出てくる。放射性イリジウムは、最終的に、原子核の中性子が陽子にかわり、陽子78個、中性子114個の原子になる。これはすなわち白金（プラチナ）。白金は安定した金属なので、体内に留置されても大丈夫。この治療を受けた人は文字通り、白金の玉（かつては金より高かった）とともに生涯を送るわけだ。

医療用や研究用の放射性物質は、需要に応じて日々、研究炉で量産されている。そして鉛の小型容器（小さな骨壺に似ている）に入れられて、病院や大学に送られている。これは普通の宅配便や郵便で輸送されている。知られざる核産業。ね、世の中、謎がいっぱいでしょ。

（二〇一九・二・二八）

鎌倉チェックポイント

ときおり霧のような細かい雨が通り過ぎる秋のいち日、鎌倉に足を運んだ。駅の売店を覗いたが目的のものが見当たらない。隣のコンビニの棚の隅にようやくひとつだけ置いてあった。昭文社の地図「鎌倉市」である。携帯の地図アプリのおかげで紙の地図はすっかり等閑に付されてしまったが、そこは根っからのマップラバーたる福岡ハカセ。これがないと始まらない。折り畳まれた紙の地図をやおら広げ、まず自分の現在地を定位し、これから訪れるべき場所との位置関係をチェックポイントしたいのだ。手軽にメモを書き込んだりもできるしね。

今回は、まず待ち合わせ場所の葛原岡神社に向かう。小高い山の上にあり、晴れていれば富士山も見えるというが、あいにくの曇天。ここで井上ユリさんと会う。いうまでもなく、作家・井上ひさしの夫人であり、作家・米原万里の妹さん。今日は、ユリさんのご案内で、この近くにある、生前の万里さんが暮らしていたお住まいを拝見するのが目的なのだった。

ご存知のとおり、ロシア語の同時通訳者として敏腕を振るった米原万里は、作家となり、またニュース番組のコメンテーターとしても活躍、歯に衣着せぬ、きっぷのよい物言いでお茶の間の人気者になった。今も熱心な読者がいる。彼女は住宅の間取りを考えるのが趣味で、ついにこの鎌倉の地に自分の理想の家を建てた。にもかかわらず間もなく彼女は病を得る。がんだった。

衣食住すべてに独特のこだわりがあった米原さん。クレオパトラみたいな濃いアイラインと肩パッドが入った服、おおぶりのアクセサリー。病に対しても、外科手術や抗がん剤などの標準治療を拒み、自分流を貫いた。入院せず自宅で生活した。この間の経緯は「週刊文春」に連載し、最後は絶筆となったリレー読書日記を読むと手に取るようにわかる。彼女がこだわったのは自分の自然治癒力、つまり免疫の力を信じることだった。だからさまざまな免疫療法を自分で調べ、自分で試してみた。

異変や外敵から身を守ってくれる最大の生命力が免疫系。もとは自分の身体の一員だったものが、ある日、急に自分の分際を忘れて、気宇壮大・万能感に満たされて、何にでもなりうると勘違いして永遠の自分探しをはじめて暴れだす、いわば中二病的細胞が、がんである。こんながん細胞を免疫系はちゃんと見つけ出し、やっつけてくれる。私たちの身体には三十七兆個も細胞があり、日々、中二病的細胞が出現するリスクがあるが、そう簡単にがんにならないのは免疫系が常時、警戒してくれているから。

ただしがん細胞は完全なる外敵ではない。もともと自己の細胞。身体のこともよくわかっている。だから巧みに姿を隠したり、免疫細胞をだまくらかしたりして、攻撃をかわしてしまう。そこで、うまく免疫系を賦活化してやればよい。たとえがん細胞が全身に転移しても、免疫細胞もまた全身に散開できる。

ただ、この免疫賦活化にはピンからキリまでがある。怪しげなサプリメントや民間療法、医療機関でもエビデンスが危うい施術を自由診療の名の元で実施している。藁にもすがる思いで米原さんもいくつかを行った。

惜しむらくはピンの方の治療薬が彼女の死後、実現したことだった。それが、今年（二〇一八年）、ノーベル医学・生理学賞に輝いたジェームズ・アリソンと本庶佑が発見した方法だ。免疫細胞に対して、がん細胞がブレーキをかけるしくみ（免疫チェックポイント）をブロックして、免疫系を応援するという画期的な新薬。彼女なら早速この研究成果を理解して、試してみようと思ったはずだ。

蔵書や洋服など遺品もすべて片付けられた邸内はしんと静まり返っていた。それでも彼女の書斎に佇んでみると、密やかな作家の気配を感じることができた。

（二〇一八・一〇・二五）

がんとストレス

もう十五年ほど前のことになるが、私は母を膵臓がんで亡くした。それまで元気だった母が、この頃ひどく疲れる、お腹が痛いというので病院で診てもらったら膵臓に大きながんがあり、すでに肝臓にも転移していた。手術をするにはもはや手遅れで、緩和ケアで痛みを和らげる以外の対処法はなかった。半年もしないうちにあっけなく母は逝った。七十歳だった。私は膵臓の研究をしてきたというのに、どうすることもできず悲しかった。

一方、膵臓の研究をしてきたがゆえに、難しさもよくわかっていた。膵臓がんは、肺がん、大腸がん、胃がんについで日本人のがん死のうち第四位を占める。そしてもっとも治しにくいがんとして恐れられている。五年生存率は十％以下しかない。

なぜそれほどまでに治しにくいがんなのか。近年の研究によって膵臓がんの謎が次々と解明されつつある。膵臓がんが厄介なのは、まずは転移しやすいがんだからだ。病巣が小さいうちに血流に運ばれて近くの臓器（隣が肝臓）に飛び火してしまう。だから、よほど早期に発見しない限り、わかった時には多臓器に転移していて手遅れになる。しかも早期にはなかなか自覚症状が現れにくいがんなので発見されにくい。

普段、私たちは膵臓がどこらへんにあり、何をしているのかほとんど知らない。膵臓は胃の裏側くらいにあってタラコのように細長い形をしている。膵臓の細胞のうち大半は外分泌細胞と呼ばれるもので、消化酵素をせっせと生産し、それを消化管に分泌する仕事を黙々としている。福岡ハカセもこの分泌のメカニズムを研究していた。消化酵素は小腸で食品の栄養素を分解し、吸収を助けてくれる。このことが実は膵臓を難しい臓器にしている原因でもある。

消化酵素は、タンパク質や炭水化物、脂肪、DNAなどなんでも粉々に分解する力を持っている。この力が食べ物に向かっているうちはよいのだが、もし膵臓にメスを入れてがん病巣を切り取ることを考えた場合、どうしても膵臓を傷つけることになる。するとその傷口から消化酵素が漏れ出してしまい、それが自分自身を分解してしまう危険性がある。だから膵臓の手術は細心の技術で傷口を閉じながら進めなくてはならない、とても難しいものとなる。

もうひとつ、膵臓の細胞には内分泌細胞というものがあり、これはインシュリンなど重要なホルモンを作り出す。インシュリンがなくなるとたんに糖尿病になり、インシュリンの代わりになるホルモンは他にないので、膵臓を全部摘出することはできない。

膵臓がんとストレスの関係も注目されるポイントだ。膵臓がんの細胞は自ら神経の成長因子を分泌して病巣に神経を導く働きがあることがわかってきた。がんに近づいた神経からはアドレナリンが分泌される。アドレナリンにはがん細胞をより早く増殖させる働きがある。ストレスが高まったときも体内のアドレナリンのレベルが上がる。だからストレスは膵臓がんの促進因子となる。アップルのスティーブ・ジョブズも、前沖縄県知事の翁長雄志も膵臓がんに斃《たお》れたが、組織を率い、何ものかと常に戦い続ける仕事はさぞやストレスフルであったことだろう。

私の母は、このようなリーダーたちとは比べるべくもないが、死の数年前、ある全国的な婦人組織の役員をつとめていて元気に飛び回っていて、今にして思えばそれがかなりの重荷だったのかもしれない。当時、遠くに住んでいた私は病床の母を見舞いに行った際、母が好きだった細切りの塩昆布を持っていった。すでにすっかり食欲もなくしていた母だったが、それをひとつまみ口の端に含み、おいしいねと言ってくれた。それが母と交わした最後の言葉だった。

（二〇一九・二・七）

迷走生活の方法

元号が晴れて「令和」と決まったので、ここは心機一転、清々しく過ごしたい。

そこで福岡ハカセからは「迷走」生活のススメを提言したい。迷走とは言っても、目標を見失って右往左往する「迷走」ではなく、迷走神経の働きを大事にするという意味での迷走生活である。

重大な職責を遂行中、非業の死を遂げる人物がいる。たとえば、アップルの創始者スティーブ・ジョブズ、あるいは東電福島第一原子力発電所の事故当時の所長・吉田昌郎、最近では、前沖縄県知事の翁長雄志。いずれも働き盛りのさなか、がんに侵されて惜しまれつつ亡くなった。

彼らの置かれた状況はそれぞれ異なるとはいえ、共通する背景がひとつある。それは極度のストレスにさらされつつ、そこから逃げることが決して許されなかったということだ。

生命は危機に直面すると――急に敵に襲われそうになったり、環境が激変したりすると――瞬時の対応に迫られる。戦うというオプションもありうるが、自然界の敵や脅威は強大なので、十中八九、逃げるが勝ち。

すぐに逃げられるよう警戒レベルが急上昇する。すなわち、筋肉が緊張し、心拍数が上がり、血圧が高まる。酸素をたくさん取り入れるため、呼吸が早く、浅くなる。

これらをひとくくりにすると、筋肉、心臓、血管網、肺などを支配している交感神経系が活性化される、ということができる。同時に、副腎皮質からはコルチゾールが分泌される。コルチゾールはステロイドホルモンの一種。いわゆるストレスホルモンと呼ばれる物質だ。コルチゾールの役割もまた身体の態勢を危機に対処できるように整える。その主要な作用は、免疫システムに対して、これを抑制するように働きかけること。

生命の緊急時、ストレスホルモンは免疫システムが使っていたエネルギーや栄養を、ストレスと戦うための他の緊急システム（心臓、筋肉、呼吸、知覚など）に振り向けるようなスイッチとなる。つまりストレスホルモンは免疫抑制剤なのである。免疫システムは身体全体の防衛網。国家にとって防衛費が膨大なものになるように、平時、免疫システムには、かなり多くの生命リソース（つまり酸素や栄養）がその維持管理のために振り向けられている。

しつこい皮膚のかゆみやアレルギーにしばしばステロイド軟膏が使われる。これは、かゆみやアレルギー反応を引き起こす過剰な免疫反応を抑制するためである。交感神経系の活性化も同時に、免疫システムを抑制する方向に働く。

さて、問題はこのあとだ。ストレス応答は本来、一過性の防御反応である。敵からなんとか逃げおおせるか、危険な状況から脱することができれば、ストレスホルモンのレベルは下がり、交感神経系の活性化もおさまり、身体はもとに戻る。生命リソースは再び免疫システムに振り向けられ、防衛網は再活性化される。これが進化の長い歴史で生命が経験してきたストレスとの付き合い方だ。あくまでストレスは一時的なものだった。

ところが、現代人はさまざまな社会的・人間的なストレス環境に置かれる。しかもこれは一過性とはいかない。むしろ恒常的だ。逃げられない。ゆえに、慢性的なストレス反応が、免疫システムをたえずいためつけてしまう。免疫システムの抑制は、がんに対する警戒網を弱める。かくしてストレスとがんが結びつく。

ゆえに、がんになりたくなければ、できるだけストレスホルモンの上昇を避け、交感神経系を刺激しないようにするのがよい。それがハカセの推奨する迷走生活である。

交感神経系がアクセルなら、ブレーキにあたるものが身体にはちゃんと備わっている。それが迷走神経に代表される副交感神経系だ。

生物学用語の中に、字面や響きが独特の言葉がある。福岡ハカセが気に入っている言葉は「迷走神経」と「官能基」である。まずは迷走神経。神経がそんなに迷いながら走り回って大丈夫なのかと思えるが、大丈夫なのである。

迷走神経は身体の中心を貫いているにもかかわらず、ふだん私たちはその存在を意識することはほとんどない。迷走神経の神経線維は、脳の奥底にある延髄から出発し、首をおりて枝分かれしてほとんどすべての内臓にまで達している。あまりにもいろいろな部位へくねくねと分布しているがゆえに、この「迷走」の名がある。

英語では、vagus nerve。vagusはラテン語で彷徨・放浪を意味する。明治期に一生懸命、西洋医学を輸入した先人たちが「迷走」という日本語に置き換えてくれたのだ。このセンスは悪くなく、けだし名訳である。

ちなみにほとんどの学術用語が日本語に翻訳されているがゆえに、福岡ハカセを含む日本の少年・少女たちは学校や読書で、かなり早くから専門用語に親しむことができる。ただ、多感な時期に「官能基」なんて言葉に出会うと、いったいそのはてにどんなめくるめく世界があるのか、気になってしょうがなくなった。が、これは単に、functional groupを訳した化学用語だった。つまり特定の機能をもった化学構造上のグループということ。ちょっと気取って意訳しすぎ。

こんなふうに、日本語化された専門用語の原語がわかるようになるのは英語で教科書を勉強したり、論文を読んだりするようになってからなのだが、それはそれでわりと深刻な問題に直面することになる。

海外の人たちと会話するとき、えっとそれ英語でなんだっけ、という局面がしばしば出てくるのである。特にちょっとした基礎用語が出てこない。支点・力点・作用点とか台形とか平行四辺形とか。日本では教養人のつもりでも、海外では小学生レベルの知識もおぼつかないように見られてしまう。

ハカセも何度も、そしていまだに体験することだが、かなり冷や汗ものである。スマホの辞書が助けてくれるが、少なくとも高校以上の教科書の学術用語には和英を併記しておくべきだと思う。

さて、話はもどって迷走神経。これは自律神経の一部。自律神経は、自分の意思とは無関係に、無意識下で私たちの身体をコントロールしてくれている大切な情報網。寝ているときでも呼吸や心臓が止まらないのは自律神経のおかげである。

自律神経は、さらに交感神経と副交感神経に二分される。よく自律神経失調症という言葉を耳にする。主な症状は不定愁訴（これまた見事な日本語）。なんとなく愁いがある。特定の臓器が悪いわけでもないのに、急にドキドキしたり、不安になったり、冷や汗が出たり、だるかったり、便秘になったり……誰でも一度や二度は経験があるだろう。

それは自律神経のアクセル役とブレーキ役、すなわち交感神経と副交感神経のバランスが乱れていることに起因する。多くの場合、交感神経の方が活性化しすぎていることによる。

ストレスがかかると交感神経が活性化され戦闘態勢になる。緊張と血圧上昇。逆に、副交感神経が優位になると心臓と呼吸が安静化し、胃や腸の動きがスムーズになる。迷走神経は後者、すなわち副交感神経の主要な担い手として身体をリラックスさせる方向に導く。

なので「迷走」生活とは、副交感神経優位を心がける生活。思い惑うのではなく、なるべくストレスの種から遠ざかること、あるいはすぐに忘れること。すべては流れゆくので、流れに抗せず流れにまかせること。

明日の愁いは明日考えるとして、今日はお酒でも飲んでぐっすり寝ましょう。寝ているあいだに迷走神経が身体を整えてくれます。

（二〇一九・四・一八、五・二）

第3章　小宇宙「人体」の旅

不老不死の秘密

不老不死は実現できるのか？　ちょっと前にこんなテーマのTV討論番組に呼ばれた（司会は昔、一緒にNHKの生物番組を作っていた劇団ひとりさん。当時の進行役は、いまをときめく井上あさひアナ、中村慶子アナ、鎌倉千秋アナ、という豪華メンバーだった）。

さて、この討論番組、ややバラエティ仕様で、出演者が口々に不老不死を勝手に解釈しはじめたので、話が迷走気味になった。ターミネーターみたいに撃たれようが、落下しようが、死なない「不死身」であることと、「長寿」であることがごっちゃになってしまったのだ。さすがにどんな生物でも出血多量や大怪我、大病になれば死に至るわけなので、不死身は不可能である。しかしできるだけ長寿でいることは可能性がある。代謝の速度（心拍数や呼吸数）と寿命にはおよその逆相関がある。

マウスのような小動物はいつもハアハア・ドキドキしている。一分あたりの心拍数は平常時で三百回、興奮時には七百回にも達する。呼吸数も六十回〜二百回くらい。対して平常時のヒトは、呼吸数十七〜十八回、心拍数六十〜七十回。そしてマウスの寿命は約二年、ヒトは八十年。

マウスがかくも生き急いでいるのは、小動物ほど体重あたりの体表面積が大きくなり、いつもエネルギーを生産していないと体温が維持できないからである。そして呼吸の回数が多ければそれだけ酸化ストレスにさらされやすくなり、その分、細胞が消耗するから短命だと考えられるのだ。

大西洋の冷たい深海に棲息するサメの一種ニシオンデンザメは一年に一センチくらいのスローペースで成長する。低温動物なので体温を保つ必要もない。たぶん日々のストレスもない。怪我などがなければそのまま五、六メートルに達する。その最長寿命は四百歳と見積もられている。だから長寿の秘訣のひとつはできるだけゆったり・ゆっくり生きて、できるだけ代謝のレベルを下げること、ということになる。それでも恒温動物であり酸素呼吸を必要とするヒトの場合、統計的にみると百二十年くらいが限界のようだ。

ただし生物界を広くみわたすと不思議な方法で不老不死を実現している生物がいる。クラゲの一種ベニクラゲだ。ベニクラゲは老化してきたりストレスを受けたりすると身体の中心の一部がポリプという幼体になり、そこから人生をもう一度繰り返すことができるのだ。これは不老不死というよりも、一種の生まれ変わり、世代交代に近い現象ともいえる。

福岡ハカセの敬愛する博物学者ドリトル先生（児童文学の架空の人物）は生涯をかけて不老不死の研究に打ち込んでいた。研究したいことは山のようにあるのに自分の時間は限られていることにいつも焦燥感を感じていた。月旅行までして、月に棲む生物が長寿であることを発見、それをヒントに不老不死の鍵を見つけようとするがうまくいかない。ある夜、ドリトル先生は何かに気づき、一心不乱にそれをノートに書きつけ始める。物語は不意にそこで終わっている。少年の頃は、ドリトル先生のことだから何かすばらしい着想を得たのだ、と思っていたのだが、ほんとうはそうではなかったのではないか。ドリトル先生はきっと人生が有限であることの意味にやっと気づいたのだ。

もし永遠の時間が与えられたら、私たちは、一切の努力をしなくなってしまう。今日できることが明日もできるなら、私たちは生き急ぐことをしなくなってしまう。明日死ぬかもしれないからこそ私たちは今日を生きようとする。時間の有限性こそが今を生きるこの瞬間を生み出し、すべてのモチベーション、生きることの根源になっている。ドリトル先生は、このあまりにもシンプルな事実に思い至ったのではないか、と思う。

（二〇一八・一二・一三）

赤ちゃんの心臓

私たち昭和の子どもは理科の授業でカエルの解剖があった。みんなギャーギャー騒ぎながら「きもちわるー」「くさー」と言っているうちになんだか終わってしまった。最近、知った興味深い事実は、ニューヨークの公立中学校の理科の授業の様子。カエルのかわりに、なんとヒツジの心臓が配られるそうな。すばらしいではないか。カエルの解剖よりもずっと学ぶことが多い。なんせヒツジの心臓はヒトの心臓とほぼ同じ構造、同じサイズ。自分の身体の成り立ちを手に取るように知ることができるからだ。

哺乳動物の心臓は、二心房・二心室を有している。つまり心臓が四つの小部屋に分かれている。なんでそうなっているかは実際に解剖してみると実によくわかる。まず一番肉厚なのが左心室(左とは自分にとって左側)。肉厚とはそれだけ強力な筋肉だということ。左心室には太い血管が連結している。これが大動脈。

左心室から力強く押し出された血液は大動脈を通って全身に送られる。この血液に乗って新鮮な酸素が全身を駆け巡る。末梢の隅々に達した血液は帰り道、二酸化炭素を回収しながら今度は心臓の右側、右心房に戻ってくる。右心房に入った血液は右心室に入る。右心房と右心室のあいだには逆流防止弁がついていて、流れは一方通行。右心室が血液を押し出すときは右心房には行かず、右心室に連結した肺動脈に送り込まれる。血液は肺に達するとガス交換が行われる。つまり二酸化炭素を放出して酸素を取り込む。この血液は肺静脈を通って、左心房に戻ってくる。左心房から左心室に入った血は、最初に書いたように左心室から大動脈に送り出される。

つまり血液は心臓を中心に8の字を描いて循環している。8の北極に肺があり、南極に末梢（身体）がある。福岡ハカセなら、ここで生徒たちにもうひとつ心臓を配りたいところ。それは胎児の心臓。まあ、これはたとえヒツジであっても生命倫理や動物愛護の問題をはらむので簡単にはいかないかもしれないけれど……。ぜひ知ってもらいたいのは、私たち哺乳類の心臓が、お母さんの胎内にあるときと、生まれ出た後とでは、いかにダイナミックに変化し、かつそれが見事なまでに巧妙にスイッチされているか、ということなのである。

胎児の心臓は右心房と左心房のあいだに穴があいているのだ。なぜか。本来なら右心房の血液は右心室と肺動脈を通って肺に送られる。しかし子宮内の胎児はまだ肺が機能していない。なので肺に大量の血液を送ることができないし、その必要もない。ゆえに、バイパスとして右心房から左心房へ血液が直接送り込まれるようになっている。その上、肺動脈にもバイパスがあって大動脈に繋がる血管（動脈管）がある。このようにして極力、肺に血液がいかないようにしているのだ。

そのかわり酸素はどこから来るかといえば、胎盤を通してお母さんの身体から供給される。その血液はへその緒を通って赤ちゃんの血管に連結し、赤ちゃんの身体の中をめぐってまた胎盤を通じて母体に戻る。つまりへそからのインとアウトが肺へのインとアウトの代りになっている。

それが誕生に際して、劇的に変化するのだ。おぎゃあ、と産声を上げた瞬間、肺が膨らみ酸素を吸い込む。血管網が広がって呼吸の機能を開始する。血液が肺動脈から一斉に肺へ流れ込む。同時に、心臓の壁に開いた穴が急に閉じる。動脈管も閉じる。胎盤が剝がれ、へその緒の血液流が途絶え、赤ちゃんの体内の血管に繋がっていたルートも閉鎖される。

こうして独立した8の字の循環系が機能を開始する。大規模かつ精妙な転換が、生まれたばかりの赤ちゃんの身体の中で一瞬にして起こっている。まったく驚くべきことなのだ。

（二〇一九・三・七）

新型血液型発見される

ＰＣを開くと、和田さんからメイルが来ていた。久しぶりの便りだ。話題は何かな？「新しい血液型が見つかったかもしれません」。へえ！　それはすごい。でも、断定もせず、自分が主語になってもいないところが和田さんらしいね。

和田さんは、いわば戦友。今から三十年ほど前、私たちは米国ボストンにあるハーバード大学医学部の、同じ部門のポスドク（＝研究傭兵）だった。来る日も来る日も、細胞をすり潰したり、ＤＮＡを切り貼りしたり、タンパク質を分離したり……いずれも極めてちまちまとした手作業である。器用さももちろん必要だが、根気強さが要求される。

そして何よりも謙虚さが重要となる。何に対する？　自然に対する。実験のほとんどは思うように進まない。それは生命現象という自然が、人間のちょっとした浅知恵で理解できるほど単純なアルゴリズムでは動いていないからだ。謙虚さを見失うとたんにＳＴＡＰ細胞みたいになってしまう。

和田さんは今は福島県立医大の細胞科学研究部門の教授をしている。そして時々、何か面白いことがあると知らせてくれる。

血液型で一番有名なのはＡＢＯ式である。Ａ型の人に、誤ってＢ型の血球を輸血すると、たちまち免疫反応が起きてしまう。それはＡ型の人の血清（血の液成分）の中にＢ型の血球を攻撃する抗体が存在するからだ。Ｂ型の人の血清の中にはＢ型の血球を攻撃する抗体はない。自分自身に反応する抗体は胎児のうちに排除されてしまうからである。

福島県立医大の輸血を管理している部門は、不思議な現象に気がついた。ある患者に輸血しようと事前チェックを行った。すると血液型が一致しているにもかかわらず、免疫反応が起きた。実は、血液型にはＡＢＯ式以外にも型式がいろいろあるのだが、そのいずれを検査しても一致している。なのに、この患者は他人の血を拒絶してしまうのだ。つまりここには未知の血液型の違いがある。この患者は自分の血液型をＫ'型（仮称）と認識している。でも世の中の大半の人はＫ型。なので、Ｋ型の血球に対して、Ｋ'型の血清は抗体攻撃をしかけてしまうのだ。

Ａ型とＢ型の違いは、赤血球の表面にある糖鎖の構造の差であることがわかっている。でも、Ｋ'型とＫ型の違いは一体なんなのか。ミクロな分子に起こっている微小の差異のはずだが、もちろんその実体はそう簡単にはわからない。

ところがヒトのＤＮＡ全体（ゲノム）を高速に解読する次世代シークエンス技術が大発達したおかげで、ここ数年、ある人と別の人のゲノムの些細な差が、こまかく比較検討できるようになってきた。その結果、福島県立医大は東大のゲノム解析チームと協力して、Ｋ'型の人のゲノムの中から特殊な差異を見つけ出した。「それが不思議なことに、福岡さんが興味を持っているプリオンタンパク質だったんですよ」

「プリオンタンパク質は、狂牛病やその人間版のヤコブ病に関わる因子。これが変性すると脳がスポンジ状に侵されて神経障害が進む奇病なのだが、正常型のプリオンタンパク質は誰の身体にも存在し、血球の上にもアンテナみたいに突き出している。その機能は未だに解明されていない。普通の人のプリオンタンパク質は、二百十九番目のアミノ酸がグルタミン酸でできているのだが、K'型の人は、DNA一文字の書き換わりによって、これがリジンに変わっている。K'型の人にとってはこれが自分型であり、一般人のグルタミン酸型のプリオンタンパク質は異物になる。だから攻撃をしかけてしまうというわけだった。

K'型の人はヤコブ病にもなりにくいらしい。血液型の違いには、性格の差ではなくて、もっと深淵な謎が隠されているのだ。

（二〇一九・六・六）

血を吸い血を見た話

会社や学校で健康診断を受けると決まって血液検査がある。

腕をまくって、グーをつくり、小さな枕みたいな台の上に置くと、看護師さんが、二の腕にゴムの駆血帯を巻いて、肘の内側のくぼみをアルコール綿で拭いてから注射針を刺す。すると血が勢いよく注射器の筒の中に吹き出してくる。ちくりと一瞬だけ痛いので、目をつむったり、顔をそむけたりする人もいると思うが、次回は針先の動きをじっと凝視してみよう。いつ見ても、この技は見事。ほれぼれする。

福岡ハカセも生物学者として動物相手に何度も採血したことがあるが、これはかなりの熟練を要する技術。まずは、採血に適した太さの静脈がどこを通っているか、外から的確に見極めなければならない。それから針の進入角度と深度もむずかしい。針先が皮膚を進んで血管の壁を破った瞬間、プツリという音のない抵抗があり、そのあとスッと軽くなる。この感覚はちょっとエロティックですらある。

さて、血液は生命情報の宝庫である。なんせ身体中の細胞の新陳代謝の結果が如実に反映される。とくに静脈は細胞からの帰り道なので、細胞が放出した二酸化炭素や分解物、老廃物を含んでいる。

その血中成分、健康診断の結果表を眺めると、ほんの少し採血しただけなのによくこんなにたくさんのデータが調べられるなあと思うほど、いろいろな数値が並べられている。赤血球は酸素を運ぶので、この値が少ないと貧血気味。白血球は外敵と闘う細胞なので、値が高いとどこかで炎症が起きている可能性があり、低いと免疫系に不全がある可能性がある。その他、GOT、GPT、γ-GTPといった数値は肝臓の代謝酵素のレベルを表している。

本来、肝臓に存在する酵素が血液中にあるということはそれだけ肝臓の細胞が壊れている証拠。お酒を飲みすぎたり、肝炎が起こると高くなる。その他、血糖値、血中イオン値、コレステロール値なども生活習慣の重要な指標となる。

しかしほんとうの健康の指標は何かといえば、それは、絶えず合成と分解のさなかにある私たちの身体の動的平衡の「流れ」をあらわす値のはずである。そんなものがあるのだろうか。それがあるのだ。

最近、味の素の研究グループと話す機会があり、彼らが開発した「アミノインデックス」に関する最新情報を仕入れた。身体を構成するタンパク質はどんどん合成される一方、絶え間なく分解されている。タンパク質は二十種のアミノ酸が数珠つなぎになったもの。タンパク質は分解されると、アミノ酸となり、それは血中を駆け巡る。だから、もし採血したサンプル中に含まれる全アミノ酸のレベルがすべてわかれば、それは身体の動的平衡を反映する情報となる。しかし実際にこれを行うのはなかなか難しい。

まずアミノ酸は互いによく似ているので、二十種すべてを分離して、その量を個別に測定するのはたいへん煩雑で時間がかかる。また迅速に分析を行わないとアミノ酸の一部は採血後に分解してしまう。それから最大の問題はデータの解析だった。二十種ものアミノ酸の増減からどのように健康情報を引き出せばよいか。彼らは多変量解析という手法を使って、複数のアミノ酸の動きをグループ化し、それを組み合わせることで、健康な人と健康でない人（たとえばがん患者）の血中アミノ酸レベルに差があることを見出した。これがアミノインデックス。健康状態のチェックや病気の早期発見に期待がかかる。血液検査は日夜進化しているのだ。

子どもの頃の言葉遊びを思い出した。「血を吸い血を見た話」知ってる？「青い血を買った話」知ってる？　貯水池を見た話と、あー美味しかった話。お後がよろしいようで。

（二〇一九・六・二〇）

人間は考える管

「人間は考える葦《あし》である」

そう言ったのは十七世紀の哲学者であり科学者だったパスカルだ。パスカルは一六二三年に生まれ、わずか三十九歳で死んだ。さて、二十一世紀の今日、福岡ハカセは「人間は考える管《くだ》である」と言いたい。哲学者としても科学者としても生半可な雑学者・福岡ハカセの言葉ですが、まあ聞いて下さい。

ヒトの身体の基本構造は管、すなわち一本のチューブである。ただし単なる管だと前後の区別がつかなくて困るので、一方の端に脳と目をつくった。これで管は一応、考えたり悩んだりすることができる。管がちょっと詰まっただけでも悩むことができるが（便秘）、それは管の周りに張り巡らされた神経網が不調のシグナルを脳に送ってくるからだ。

さて、管は、口と肛門で外界とつながっている。いうなればチクワのようなもの。だからお腹のなかは、身体の内部のようであって、ほんとうは身体の外部である。食べ物も口から飲み込んだだけでは、まだ身についたことにはならない。管の内部で消化され、細かい栄養分に分解された後、吸収されて初めて身についた（体重増加）ということになる。身体の内部とは文字通りチクワの身の部分である。

これは病原体に関してもおなじである。外界からやってきてチクワの穴でうろうろしている段階では害にならない。ぼやぼやしていると胃酸にさらされたり、消化液にやられたりして死滅してしまう。そしてチクワの穴の表面にはびっしり腸内細菌という先住民が住み着いてバリアーをはってくれているおかげで、そう簡単に取り付いて増殖することもできない。そうこうしているうちに肛門から排泄されてしまう。だから少々バイキンがついているものを食べても滅多なことでは大事にはならない。経口的に入ってくるバイキンは多数あれど、チクワの身の部分にまで侵入してくることはまずありえないのだ。

でも中にはこの警戒網をかいくぐってやってくる凶悪なバイキンがいる。サルモネラ属菌がそうだ。豚コレラ菌や腸チフス菌もこの仲間（サルモネラという禍々《まがまが》しい名前は、もともと菌を見つけた米国のサルモン博士にちなむのだが、こういう風に語り継がれるのってどうなんだろう）。サルモネラは家畜、ネズミ、昆虫、あるいはペットなどに潜伏している。これが人間の口に入ってくると、途中、胃酸、消化液、腸内細菌に阻まれるが、摂取量が多いと、なんとか生き延びて大腸まで達した菌が消化管細胞の表面に付着する。

そして微小な針を突き刺して細胞内に侵入する。普通だったら細胞は侵入者を細胞内で分解できるのだが、サルモネラは特殊なカプセルを作ってその中で増殖する。こうなると細胞が変調して水分を吸収できなくなったり、炎症が発生したりして、下痢、嘔吐、腹痛、発熱が起きてしまう。これが食中毒。でもこれに対しても身体はちゃんと防御策を用意している。

まずは消化管の細胞。常に攻撃の最前線に位置しているゆえ、たえまなく捨てられ、新たに再生されている。つまり動的平衡状態にあり、身体の中でもっとも更新サイクルが早い細胞である(二、三日で交代)。

それから福岡ハカセが発見したGP2という遺伝子。これは消化管の細胞の表面にアンテナみたいに突き出しているタンパク質をつくる。そして消化管内をうろついているサルモネラ菌を見つけると捕まえて免疫細胞に引き渡す。免疫細胞は侵入してきた菌と戦う。かくして人間は食中毒にやられてもなんとか回復できるのだが、免疫系がまだ弱い赤ちゃんや動的平衡が鈍ってきたお年寄りは菌の勢力に負けて命の危険に晒されることがある。

暑い季節には、食べ物には十分ご注意あれ。サルモネラ菌は食材を加熱すれば簡単に死滅します。


(二〇一八・七・一二)

ＢＣＧのトラウマ

暑くなってきた。街に出ると軽装・薄着の人が増える。福岡ハカセはついつい、若い人の半袖シャツから出た健康的なむっちりとした二の腕をちら見してしまう。あ、でもこれはイヤラシイ視線を向けているのではありません。三×三＝九のスタンプ跡に吸引されるのだ。これはＢＣＧ注射のしるし。ハカセはＢＣＧに嫌な思い出がある。

前節で、人間は考える管である、と書いた。つまり私たちの身体を超シンプリファイすると、口と肛門で外界とつながったチクワのようなものだ、という意味である。だからお腹の中はチクワの穴であり、まだ身体の外側にすぎない。ほんとうに大事なのはチクワの身の部分、ということになる。実際、内臓や血や骨はみんなチクワの身の中にある。

そして私たちの身体を守ってくれる免疫システムも、この身体の内側に外敵が侵入してくることを防ぐために存在している。予防注射というのは、「こんな敵が将来襲ってくるかもしれないから、注意せよ」という警告を免疫システムに予め提示しておく、という仕組みだ。免疫システムは、いちど外敵と遭遇すると、その敵に関する情報を記憶し、もし次に同じ敵がやってきたらすぐさま戦える態勢を備えることができる。どうやって記憶するかといえば、その敵に結合する

（そして敵を無力化する）抗体を生産する細胞集団が一定数、温存されることによる（免疫学的記憶）。

そして重要なのは、免疫システムに外敵の記憶を植え付けるためには、チクワの身の中に、注射器でワクチンを打ち込まなければ意味がない、ということである。ワクチンを口から飲んでも効かない。なぜなら口から消化管に入っても、そこはまだ身体の外だから。そして（乳児期を除くと）消化管内には胃酸や消化酵素がたっぷり存在していて、口から入ってきた食品や雑菌などをほとんど完膚なきまでに粉々にしてしまう。ワクチンも例外ではない。

さて、ＢＣＧとは、カルメット・ゲラン桿菌《かんきん》の頭文字から作られた略語。結核の予防注射である。かつて結核は恐ろしい致死的な病気だった。フランスの研究者カルメットとゲランは、結核菌を何代も培養することによって、菌としての形態は保っているもののヒトに対する病原性がほとんどなくなった無毒性の菌株を作り出すことに成功した。これをワクチンとしてあらかじめ投与すると、結核に対して劇的な耐性ができることがわかった。日本でも幼児期、小中学校の時期にＢＣＧ投与が行われたが、最近では生後一年以内に国民全員が投与を受ける。このとき使用されるのが九本針の円形注射器である。これはなるべく痛くない針で、十分量のワクチンを広範囲に注射するため。

ところが……米国ではＢＣＧの国民皆投与ということが全然行われていないのだった。先進国だという自認から国内にほとんど結核の発生がないと思っていることと、米国医学界がＢＣＧの有効性についてやや懐疑的であることが理由のようだ。だからハカセが初めてアメリカに留学したときにひどい目にあったのだ。

外国から来た留学生は、結核の保菌者である可能性があるからまず医院でツベルクリン検査を受けるようにいわれた。ツベルクリン反応とは、ごく少量の結核菌エキスを皮下に注射して免疫反応を検査する方法。ハカセたち日本人は全員がＢＣＧを打っているから、当然、免疫学的記憶があり、陽性になる。いくらハカセがＢＣＧのことを必死に説明しても相手はお役所仕事。結核でないことを証明するために別の医療機関で胸のレントゲン検査をしろという。経費は全部自己負担。ああなんてこった。丸々三日つぶれた。それ以来、腕のＢＣＧ跡がトラウマとなったのだった。

（二〇一八・七・一九）

味覚センサー

今日は早朝から実験に忙しかった。ガストリンというペプチドホルモンの化学合成を行っていたのだ。ガストリンとは生体内で胃に作用して、胃酸や消化酵素の分泌を促進する作用がある物質。ペプチドホルモンとはアミノ酸が連結してできたもの。二十種類あるアミノ酸のうち、特定のアミノ酸が特定の順番で数珠つなぎになっている。

細胞の中ではリボゾームという精妙なペプチド合成のミクロ装置が、遺伝子暗号（これがアミノ酸の配列順を指定している）に従って高速度でアミノ酸を結合していくが、これを実験室で人工的に再現しようとすると非常にめんどくさい。

原理はレゴのブロックを特別な順番でつなぎ合わせるのと同じなのだが、アミノ酸は目に見えない。反応はすべて水溶液中で進む。温度や時間、pHなどを制御しないと不必要な反応が起きて、目的とするペプチドができてこない。

朝から試薬を調製したり、試験管を温めたり、回転させたりして、ようやく最初の反応が終わるところまでこぎつけた。ちょっとここらで一息いれてご飯でも食べに行くか。さて何にしようかな、と手で顎をなでたら……指先が触れた唇に突然ガーンと甘味を感じた。えっ、どうして？

おそるおそるもう一度、指先を舐めてみると、ものすごく甘い。なぜだ。

もしかして、今日使った実験試薬の中に甘い物質があっただろうか。いや、そんなことはない。ガストリンを合成するためのワンステップとして、アミノ酸のアスパラギン酸とフェニルアラニンを使っただけだ。どちらのアミノ酸も甘くなんてない。フェニルアラニンなんてむしろ苦い。

それでも念のため、さきほど反応させた試験管からスポイトで吸い取って、それを一滴、指先に垂らして舌先においてみた。その液は恐ろしく甘かった。甘くないアスパラギン酸と甘くないフェニルアラニンが結合してできた物質は、驚くべき甘味物質だった。

……というのは、現在、人工甘味料としてダイエット飲料などに広く使われることになったアスパルテームが発見されるきっかけとなった偶然のできごとを再現したドラマです。

アメリカの製薬メーカー・サール社の研究員がガストリンの合成実験の途中に、たまたま見つけたものだった。サール社が機敏なところは、これが金になることに気づき、すぐに方針を変更、ガストリン研究からアスパルテーム研究に切り替えて特許を取ったことだった。

なにしろ砂糖の二百倍も甘い。つまり同じ甘さを出すために、砂糖の二百分の一の量があればよい。アミノ酸も体内に入れば砂糖と同じだけのカロリー源になるのだが、コカ・コーラ缶一本に入っている砂糖三十グラム（約百二十キロカロリー）のかわりに、その二百分の一、〇・一五グラムで足りるので、一キロカロリーにも満たない。もともとアミノ酸から出来ているので、身体に入ってもアミノ酸に戻るだけ。安全性の観点からも安心である。かくして一大甘味料市場が確立されることになった。

この話を思い出したのは、先日、アメリカのニューオーリンズで開催された学会の味覚研究のセッションに参加したからである。アスパルテームが甘く感じられるのは、舌の上に存在する甘味レセプターの受容部に、すっぽりはまり込んでしまうから。しかし化学構造だけを眺めても、砂糖とアスパルテームが似ているようには見えない。それだけ人間の味覚は非常に優れた化学センサーであるということ。

面白いことにアリはアスパルテームを甘く感じない（つまり砂糖のようにたかってこない）。福岡ハカセも、実験の途中、しばしば指を舐めてみるのだが、こんな僥倖に出会ったことは今のところない。

（二〇一八・四・一二）

シナプスが連結する音

福岡ハカセは運動神経が鈍いので、スポーツは何をやってもダメ。子どもの頃からクラスのリレー選手に選ばれたことなどないし、ドッジボールをすれば女子からでも格好の的になった。

しかし、私たちがよく口にする、この「運動神経が鈍い」もしくは「運動神経がない」といった言い方は、生物学的にはほんとうは正しくない。運動神経はふつうに誰にでもある。脳から出発し、身体中に張り巡らされている。この神経の線は健康な人なら皆同じく敷設されている。そして神経を電気信号が通るスピードも細胞レベルで一定であり個人差はない。

では何ゆえに差がでるのか。走ればカモシカのように華麗で、ドッジボールでもひらりと身をかわせる。そういう人とハカセは何が違うのか。それは脳における連携回路の作られ方が違うのである。

運動神経は意思の力で動く。コーヒーが飲みたければ、テーブルの上にあるカップを持って口に運ぶ。蚊に刺されれば、かゆくなったところを掻く。しかし手はほんとうは意思の力だけで動いているのではなく、必ず知覚や感覚の情報をもとに動いている。テーブルの上のカップまでの距離は目が判断しているし、持ち上げ始めたときの重さも筋肉の緊張で感知する。かゆみや痛みもすべて情報となって神経を伝わり脳に入っていき、運動神経に手渡される。それが実際の運動になって現れるが、その結果はまた知覚・感覚神経を通って脳にフィードバックされる。このフィードバックループがすなわち連携回路である。

連携回路は体験や経験によって脳内に作られる。フィードバックが繰り返されると、その間に神経と神経との新しい結びつき（＝シナプス）が生まれ、その結びつきが強化されていく。つまりシナプス形成のパターンは後天的に形作られる。そこに差が生まれるわけだ。

ちなみに、運動音痴のハカセでも、虫とり網で蝶をとったり、魚を釣ったりするのは割にうまい。それは蝶がひらひらと飛ぶ動きや浮きの微妙な動きに竿をどう合わせるか、ナチュラリストとしてのフィールド体験を通じて、脳内の連携回路が鍛えられたからである。

このようにして、知覚・感覚神経からの入力と運動神経への出力はヒトの身体に後天的に形成される。スポーツの天才であれ、ピアノの天才であれ、生まれつきの才能のように見えて、どんな天才であっても不断の努力をかかさないのは、このフィードバックループを常に鍛え、調整することが必要だからだ。

脳内の連携回路は柔軟でいつでも作り変えることができる。脳は可塑的《かそ》（可変性）なのだ。もちろんその可塑性は若いうちの方がより柔らかいから、どんなスポーツ、どんな技能であっても小さい頃から鍛錬を積むことは一芸に秀でるためには重要なこと。とはいえ、脳内のシナプス形成は一生続くし、大人になっても神経が新しく作られることもわかっている。ハカセも大人になってからスキーを始めた。最初は悲惨なものだった。それでも一ステップ一ステップ、感覚と運動の連携を確かめながら、練習を重ねた。うまくスキーに力が伝わり、エッジが軽快に雪を切ると、軽やかな風を感じた。振り返るときれいなカーブが描かれていた。その度ごとに脳の内部で、新しい、小さなシナプスが連結する音が聞こえた。カチリ。

「つまり何事も始めるにおそすぎることはないのである。なのでハカセの標語は、Never too late！ みなさんも令和を機に新しいことにチャレンジあれ。

さて、この知覚・感覚神経と運動神経のループの裏側に、私たちの身体にはもうひとつの大きな、しかし無意識のループが存在している。それが自律神経のループである（一一五ページ「迷走生活の方法」参照）。

（二〇一九・四・二五）

「快」という名の報酬

あなたは若い頃に覚えたひそかな習慣を、ある日を境に意思の力で急にやめることができますか。これができる立派な人だけが、石を以て弱き者を断罪することが許されるだろう。後段は、イエスの言葉の翻案だが、ひそかな習慣とは、ご想像のとおりマスターベーションのことである。マスターベーションと、薬物中毒、あるいはアル中、タバコ、ギャンブル中毒などを同列に論じることはできない、という方がおられるとは思いますが、違法であるかどうかとか、他人に迷惑をかけるかどうかとかそういうレベルで論じる前に、生物学的に見てみると、これらはいずれも脳が要求する「快」という名の報酬を、人間はどうしても拒むことができない、という点で同じことだといえるのだ。

脳の中には報酬系という神経回路がある。脳の奥深くに中脳があり、その一領域、裏側の中央、ちょうど脳組織が両側から逆V字型に食い込んだところ（解剖図を見るとまさにさもありなん、という感じのところ）に腹側被蓋野《ふくそくひがいや》と呼ばれる部位がある。ここに集まっている神経が貪欲に快を求めている。これが欲望と渇望を生み出し、それが満たされるとドーパミンという神経伝達物質が大量に放出され、このとき快が生み出される。多幸感や疾走感。いったんこの報酬系の回路を覚えると、人間は「快」をやめられなくなる。闘争に勝利する。獲物を仕留める。性的に満たされる。生存と生殖のための達成が、快と結びついたがゆえに、私たちは進化の過程を生き延びてきたといえる。

問題なのは、人間が自らの報酬系を、生存のための、行為による達成ではなく、もっと安易な方法で満たす抜け道に気づいてしまったことである。たとえばコカインがそうだ。コカインを服用すると脳の報酬系に達する。

神経細胞はドーパミンを放出すると、すぐにそれを回収しようとする。快は一過的なものであるがゆえに快であり、それがすぐに消えてしまうから、また人間は快を求める。ドーパミンの回収を行っているのが、細胞膜上にあるドーパミントランスポーターという分子。掃除機みたいな役割を果たして、放出されたドーパミンをすばやく吸い取ってしまう。コカインはこのドーパミントランスポーターにはまり込んでその働きを邪魔する。するとドーパミンの回収が滞って、ドーパミンのレベルが高い状態がしばしば続く。すると快がたやすく得られる。

コカインは南米原産のコカの木の葉に含まれる化学物質。植物の一成分が人間の脳にこんな効果を引き起こすなどというのは自然のたまさかのいたずらだったのだが、好奇心が強いのも人間の特性。古代南米文明の誰かがこれに気づいてしまった。それが近代になって単離精製する技術ができ、人間の弱みにつけこむ犯罪組織の資金源となってしまった。俗にシャブと呼ばれる覚醒剤も基本的に同じメカニズム、すなわちドーパミントランスポーターの阻害剤として作用する。

なのでどれも似たような化学構造をしている。

そして抜け道は安易であるがゆえに、依存症が生まれ、中毒症が生まれた。人工的に作り出された快は、薬物の量や半減期の長さによって、さらなる副作用をもたらす。妄想や様々な身体症状である。快は興奮、つまり交感神経優位の状態を作り出すので、血圧上昇が起こり、心臓や脳に負担がかかる。

しかし人間はいったん知った「快」の抜け道を簡単にはやめられなくなった。ゆえに薬物の問題を考えるときには、人間の成り立ちそのものの理解にも思いを馳せないとならない。「それとも人間やめますか」という有名な標語があったが、逆説的ながら、快への欲動をとめられなかったがゆえに、人間は人間たらしめられたのだ。

（二〇一九・五・一六）

ＤＮＡ禁止令

〝○○（企業名）のＤＮＡ〟とか〝自分の中のＤＮＡに深く刻まれている〟なんて言い方がよくあるけれど、聞く度にひっかかるものがある。ＤＮＡ概念のひどい誤用・濫用である。ＤＮＡには、企業の理念も、個人の原体験も、そんなものは全く書かれていない。

ＤＮＡに書かれているのは、それぞれの種に固有のタンパク質のアミノ酸配列である。だからＤＮＡは、地図でもないし、プログラムでもない。ＤＮＡを過大評価してはいけない。ＤＮＡとは、せいぜい〝材料表〟もしくは〝カタログ〟がいいところである。細胞の内部で使う部品（タンパク質）のリストに過ぎない。

精子と卵子が合体してできた受精卵は細胞分裂を開始し、二、四、八、十六、三十二と増殖していく。その都度、ＤＮＡもコピーされて受け渡されていく。だからすべての細胞は同じＤＮＡをもつ。

でも不思議なのは、同じＤＮＡをもつ細胞が私たちの身体の中でちゃんと個性をもって役割分担をしていくということだ。いったいどうなっているのか。

細胞は、五百十二（九回分裂）とか千二十四（十回分裂）くらいまで増えると初期胚と呼ばれる段階に達し、それぞれの細胞にわずかな差が生じる。それは細胞が位置する場所による。外側にいるか、内側にいるかで、酸素や栄養素の濃度が異なる。また（我々のような哺乳動物なら）着床している側とそこから遠い側でも子宮壁から受ける影響に差ができる。この差がそれぞれの細胞に微妙な変化をもたらす。

細胞表面には接着分子群と呼ばれる特殊なタンパク質がある。これによって細胞と細胞は前後左右の細胞と交信する。初期胚の細胞は自分が置かれている場所の環境に応じて、異なる順列・組み合わせの接着分子を細胞の外側に出す。つまり同じＤＮＡカタログの中から、細胞によって異なる部品を選んで使うようになる。これが細胞の個性化＝細胞分化の始まりだ。

ちょうどジグソーパズルのピースがそれぞれ独自の凹凸を持ち、それが前後左右のピースとうまく組み合わさって絵を構築するように、細胞同士も接着分子の凹凸によってお互いの個性を知り、相補的に分化していく。君が皮膚の細胞になるなら、僕はその下を支える組織の細胞になろう。あなたが神経をつくるなら私は血管をつくるわ、という風に。

それに応じてＤＮＡに書かれているタンパク質のカタログを参照して必要な部品を作り出す。筋肉の細胞なら筋繊維タンパク質のアクチンとミオシン、皮膚の細胞なら角質をつくるケラチン、膵臓の細胞のうち、内分泌細胞ならインシュリン、という具合に、特異的なタンパク質のアミノ酸配列を読み出す。ＤＮＡが行っているのはここまで。

ＤＮＡの役割は、トンビがタカを産まないように、トンビの羽の色や姿かたちを決めること。

つまり、トンビ固有のタンパク質の構造を細胞ごとに指定しているだけのこと。トンビの子どもはトンビになる。しかし、そのトンビがどんなトンビになるか、いいかえれば私たちがどんな人間になるかについてのほとんどは、ＤＮＡの中ではなくて、ＤＮＡの外にあることによって決まる。それはつまり、伝統や文化や習俗や教育や本や映画や体験や経験ということである。ＤＮＡが姿かたちを決めた後は環境の影響の方が圧倒的に大きい。つまり、氏より育ちがまさる。

だから、〝企業のＤＮＡ〟とか〝自分の中のＤＮＡに深く刻まれている〟という言い方は、ごく普通に〝企業の理念〟とか〝自分の中の記憶に深く刻まれているもの〟といえばすむ。ここにＤＮＡを用いるのはおかしい。ＤＮＡの何たるかが全く理解されていない。理科教育を根本から考え直さないといけない（かも）。

（二〇一八・五・二四）

ひらめきの夏

人間の文化史における三大発明といえば、火薬、羅針盤、活版印刷。現代のバイオテクノロジーにおける三大発明を挙げるとすれば、福岡ハカセ的には、PCR（ポリメラーゼ連鎖反応）、モノクローナル抗体、ゲノム編集、を挙げたい。

PCRについては第一章でも触れたが、もう少し詳しく説明しよう。

PCRは、特定のDNA断片を試験管内で無限に増産する化学反応。この技術のおかげで、犯行現場から髪の毛一本でも採取できれば、被疑者のDNA鑑定ができる。PCRなしでは、ヒトゲノム計画も、遺伝子診断も、今流行りの出生前診断も達成できなかった。

PCRの開発のきっかけは、実はほんのちょっとした思いつき。それまで誰もが知っていたDNAポリメラーゼという酵素と、プライマーという短い合成DNAと、あとは反応温度の管理、この基本要素をうまい具合に組み合わせただけだった。でも誰も思いつかなかった。

一九八〇年代前半のある夏の日の夜、ガールフレンドとカリフォルニアの森でドライブデートを楽しんでいたときに、突然ふとひらめいたのだ。彼の名はキャリー・マリス。マリスには一応の学歴があったが、大学の先生を目指したり、研究者として身を立てるつもりなどさらさらなく、サーフィンとドラッグ、酒と女にうつつを抜かす日々を送っていた。そんな彼に幸運の女神が舞い降りたのだ。誰もが「こんな簡単なことをどうして自分は気がつかなかったのか」と歯ぎしりした。マリスは一九九三年のノーベル化学賞を得たが、そのときの新聞のタイトルは「サーファー・ゲッツ・ノーベル・プライズ」。サーフボードを抱えたマリスの写真が添えられていた。その後もマリスは過激な発言や奇矯な行動で物議をかもした。福岡ハカセは何度かマリスに会って話を聞き、彼の自伝も翻訳した。変人だが正直な人。

モノクローナル抗体も画期的な大発明といってよい。抗体は、私たちの免疫システムが、外敵であるウイルスや細菌に対して防御反応を行うため、体内で作り出す特殊なタンパク質。でも、どのウイルスに対して、どんな抗体が、何種類作られるかは、個々人によっても違うし、同じ人でも年齢や体調によって異なる。

モノクローナル抗体は、そんな勝手気ままな抗体を、人工的に制御できるようにする技術。モノクローナル抗体のおかげで、鋭敏な妊娠検査薬が普及するようになったし、画期的ながん治療薬であるオプジーボも、その正体はモノクローナル抗体である。がん細胞が、免疫細胞を騙して攻撃をかわすために使っている標的分子に結合して、がん細胞の防御システムを無力化する。モノクローナル抗体も、ちょっとした工夫とアイデアの組み合わせによって生み出された。これを思いついたジョルジュ・ケーラーは当時まだ三十歳前後。後に共同研究者とともにノーベル賞に輝いたが、惜しくも早逝してしまった。

残るは、ゲノム編集技術。この方法は開発されてからまだ日が浅いが、そのインパクトは絶大だ。これまで、遺伝暗号を書き換えるためには、大量の培養細胞を使って、大量の処理を行い、その中からなんとかうまくいったものをスクリーニングするしか方法がなかったが、これをピンポイントで、狙い通りに、書き換える方法を編み出した。これまた、自然界の偶然を巧みに応用したもの。これを考案したのは、ジェニファー・ダウドナとエマニエル・シャルパンティエという女性研究者。この二人が今年（二〇一九年）のノーベル賞とハカセは予想しておこう（二人は二〇二〇年に受賞）。

科学的発見は、何も偉い先生が刻苦勉励して研究にはげみ、長年の努力の末に成し遂げられるものばかりではない。マリスは科学界随一の一発屋といってよい。こんな発見があってもいい。若者よ、ひらめきの夏だ。

（二〇一九・八・一）

期末試験はバイアグラ

七月も半ば。大学はそろそろ期末試験。福岡ハカセはどんな問題をだそうかな。そうだ。生物学をちゃんと理解できたかどうかを測る絶好の設問を思いついた。

問一：バイアグラがなぜ効くのか説明せよ。

問二：妊娠検査薬の検出原理を説明せよ。

いえいえ、これはあくまで架空の設問です。弱冠二十歳になるかならないかの青少年少女に聞くのはちょっと不適当かな。でも百戦錬磨の「週刊文春」読者にならいいでしょう。

バイアグラという、いかにも精力が増大しそうなこの名前は商品名。薬品の正式名称はシルデナフィルという。一九九〇年代、もともとは狭心症の治療薬として開発され、臨床試験が進められていた。

ところがである。この薬を投与された被験者たちは不思議な症状を体験した。心臓病の薬を飲んだはずなのに、なぜかおちんちんが勃ってしかたがないのだ。でもこれはなかなか他人には言いにくいこと。一説によれば、被験者が余分の薬の返却を渋るようになったのを訝《いぶか》しんだ医師や製薬メーカーがいろいろ聞き取り調査をして初めて発覚したという。で、ここに知恵者がいた。

ならば、このシルデナフィルを勃起不全治療薬として使えばいいではないか、と。

かくして一九九八年、ファイザー社からバイアグラの名で発売され、世の中の男たちに福音をもたらした。

いったいなぜ狭心症の薬が勃起不全を治すのか。これにはちょっとした生物学の知識が必要となる。狭心症とは心臓の筋肉の血管に酸素を供給している冠動脈が狭まって、心筋が一時的な酸素不足に陥り、胸痛や圧迫感を訴える症状。狭まった血管を弛緩させ、広げる作用をもつ薬剤は、狭心症の薬となる。シルデナフィルもこのような血管拡張作用がある。

では血管拡張作用が勃起にどのようにかかわっているのか。世の中の淑女の皆様、男性のおちんちんの勃起には実にデリケートな仕組みが関わっているのです。

性的な妄想や刺激を脳が受けると、信号が自律神経を通って、おちんちんの根元で、一酸化窒素を放出する。一酸化窒素は身体の中では時として微量発生し、これが重要なシグナルとなっている。おちんちんの根元で発生した一酸化窒素は、その周辺にある動脈の血管内皮に作用する。すると細胞内で、酵素Aが活性化され、cGMP（環状グアノシン一リン酸）という物質を作り出す。

cGMPは血管内皮の平滑筋を弛緩させるように働く。筋肉が弛緩するとなんだかおちんちんも柔らかくなってしまいそうに聞こえるがさにあらず。動脈血管の筋肉が弛緩すると血管が柔らかくなり、その分、血の流れが増加するのである。するとおちんちんの中に入っていく血流量が一気に増大するのだ。これが勃起をもたらす。つまり勃つというのは血圧のポンプでおちんちんの海綿体が膨らまされているということ。

さて、生物学的にちょっと難しいのは、バイアグラは、酵素Aを直接活性化しているのではなく、もうひとつの酵素Bを阻害する物質だということ。酵素BはｃＧＭＰを分解する作用がある。分解を妨げることによって、見かけ上、ｃＧＭＰの細胞内濃度を高めているのである。

実は、酵素Bは身体の他の部位にも存在する。その典型例は目の網膜細胞。ここではｃＧＭＰが視覚のシグナルとなっている。だからバイアグラを飲むと、目にも作用が及び、ｃＧＭＰが増えるせいで白い蛍光灯がちらちら青みがかって見えたりする。バイアグラを飲んだことがある方は経験があるでしょう。

ということで何事にも人類の科学史・文化史が詰まっているのだった。第二問、妊娠検査薬にもさまざまなうんちくが詰まっているのだが、その話は次の節で。

（二〇一九・七・二五）

アンネがなければ……

福岡ハカセがまだおぼこい少年だった頃（つまりこの文春読者のメイン層も子どもだった頃）、「アンネがなければできちゃった」という歌詞の一節が流行ったことがありました（よね）。当時はまだ、その意味するところはわからなかった。

それにしてもアンネという言葉が今では古臭い言葉となり（そもそもこれは『アンネの日記』で、筆者が自分の身体の変化をためらいながらも肯定的に受け入れている記述から採られている）、隔世の感がある。でも、この歌詞で歌われている感情の機微は今も同じ。つまり、いっときの激情に流されるままコトに至ってしまったが、来るはずの次のアンネ＝生理がその時期になってもこない、ひょっとしてできてしまったのか、という若気の至りの心理なのだが、ではそのあとどうすればよいのだろうか。予定の生理がこない場合は、昔はお医者さんに行くしかなかった。しかし今では便利な妊娠検査薬というものが薬局に売っている。

そして最近では妊活のために使われている。その場合、アンネがなければバンザイとなる。前節で、福岡ハカセが出題したのがこの「妊娠検査薬の原理を説明せよ」という問題だった。今回は、その答えを開陳しましょう。

そもそも生理とは（これを生理と呼んだ人もなかなかの言語センスの持ち主だが……）、妊娠に向けて子宮内膜が肥厚し、いつでも受精卵が着床できるよう準備するサイクルが平均で二十八日周期で起きるところ、受精卵が成立しない場合、肥厚した子宮内膜が剝がれ落ちて出血とともに体外に捨てられるプロセス。これが起きないということは、受精卵が成立し（つまり卵子と精子が出会う）、着床が起こり、そのまま子宮内膜の肥厚が維持されている、つまり妊娠成立の合図が鳴った、ということである。通常、受精は前の生理と次の生理の真ん中あたりに起こる（卵巣からの排卵がその頃起きる）。だからアンネがない、と気づく頃にはすでに受精後二週間ほどが経過している。

このあと、母体では劇的な変化が進行していく。一番顕著なのが、ヒト絨毛性ゴナドトロピン（hCG）というホルモンの変化である。受精卵が子宮内膜に着床したあと生じる絨毛組織（これがあとで胎盤となる）から妊娠の維持を命令する（つまり次の生理を止める）信号が発せられる。これがhCG。hCGは普段はほとんど存在しないが、妊娠すると千倍から一万倍にも増加し、尿中にも出て、妊娠の格好の指標となる。

hCGはタンパク質でできている。製薬会社は、hCGにだけ結合できる二種類の抗体（モノクローナル抗体）を作り出した。妊娠検査薬の先端に尿を浸すと、毛管現象の原理で尿は細切りのペーパーの中を登っていく。先端に近い部分に抗体Aが待ち構えていて、hCGが存在するとぴたりと結合する。hCG―抗体Aはそのままさらにペーパーの中を登っていく。検出窓の部分に抗体Bが線状に固定されている。hCGは抗体Bにも結合するので、ちょうどサンドイッチのように抗体B—hCG—抗体Aの複合体がここに集積する。抗体Aには、発色酵素が付加されていて、複合体の場所で発色反応が生じ、色のついた線が窓に出現する。これが陽性。賢いのは隣にもうひとつ確認の窓があること。ここには抗体Aを捕まえる抗体Cが固定されている。hCGがなければ抗体Aは、抗体Bの線を素通りして抗体Cの線で捕捉され、ここで発色反応を起こす。これはちゃんと抗体Aが移動しているかどうか、つまり検査が正しく作動しているかどうかをチェックするしかけ。この検査を考えた人はほんとノーベル賞ものです。

ちなみにネットでは、妊娠陽性の使用済みキットが売られているらしい。誰が何に使うのか。想像するだけで恐ろしい。

（二〇一九・八・八）

第4章　災害のち、都市の動的平衡

1・17の記憶

そのとき、ハカセは友人たちとスキー旅行に出かけ長野県に来ていた。早朝から張り切ってゲレンデに行き、レストハウスのベンチに腰掛けスキー靴を履いて、さあ開始と思ってふと壁のテレビを見ると、神戸の街が燃えていた。大きな地震が起きたらしい。

ハカセは急いで神戸郊外に住む知人に電話をした。大揺れして家じゅうにものが散乱しているが、命には別状ないとのこと。別の知人らにも電話をしようとしたが、以降、回線がパンクしたのかいくらかけ直しても通話中の音が続き、繋がらなくなってしまった。とにかく、のんびりスキーをしている場合ではない。

当時、ハカセは京都に住んでいて、一緒に来ていた友人は大阪、そして神戸に実家がある者もいた。すぐに関西方向に戻ろう、ということになった。リフトの一日券を購入していたが、窓口の人も「緊急事態なので」と言って払い戻してくれた。私たちは車に乗り込んで中央道を西に進んだ。が、行くにつれ道はどんどん渋滞してきた。名神高速が封鎖されているという。

ラジオからは刻一刻、甚大な被害状況が伝えられ、私たちは耳をそばだてた。震源は明石海峡、マグニチュード七・三、神戸は震度七の激震、阪神高速が数百メートルにわたって横倒しになり、ビル・家屋が倒壊、火事が広がっている。死者・行方不明者多数……。一九九五（平成七）年一月十七日に起きた阪神淡路大震災である。

あれからはや四半世紀。神戸の街はめざましい復興を遂げ、地震の傷跡はすっかり見えなくなってしまっている。だが、あの大震災の記憶をしっかりととどめている場所があることを知った。それは神戸の海岸区域に設立された「阪神・淡路大震災記念　人と防災未来センター」である。ガラスウォールで包まれた実に立派なビルディングで、東館と西館が通路で繋がれている。兵庫県が主導して作られたそうだ。

来館者はまず西館一階に入ると（入場料大人六百円）、エレベーターで四階に案内される。そこは震災追体験フロア。壁には震災前の平和な神戸の街の眺望が美しい切り絵で投影される。そして1・17シアターに入る。ここが凄まじかった。

あの日発生した大地震の破壊の瞬間が轟音と光とともに完全再現されているのだ。聞けば、円谷プロが映像に関わっているとのこと。あまりに真に迫っているため、気分が悪くなったり、恐怖が蘇ったりする人もあり、このシアターをバイパスするオプションもある。

シアターを出ると、震災直後の街のジオラマがあり、ついで、第二のシアターに入る。ここでは「このまちと生きる」という震災復興のドラマが上映される。多言語対応。三階に降りると、震災の記憶フロア。おびただしい数の震災資料・写真がパネル、ジオラマ、ビデオなどで展示されている。ボランティアもたくさんいて震災の経験の「語り部」となっている。その中のおばさんに顔バレしてしまった。「あ、福岡ハカセですよね」「は、はい」。小なりとはいえ、露出があるのでこういうコトが時々ある。しばし、彼女の話を聞く。兵庫区で被災し、家屋は半壊したそうだ。

東館に移動すると、こちらには東日本大震災に関する展示コーナーがあった。津波避難体験コーナーでは、たとえ浅くても、寄せる波の水圧がかかるといかに歩行が困難になるかを（水なしで）体感できる。最後にシアターがあり、ここでは３Ｄドキュメンタリー映像「大津波―３・11未来への記憶」が上映されていた。

記憶を継承することは重要だ。ただ、あえて批判的意見を付記すると、建物といい、展示物といい、人員といい、かなり気合が入っており、その分、非常にお金がかかっているという点。そして３・11映像で、原発事故のことに全然触れられていなかった点。

（二〇一九・九・五）

あの日

渋谷駅から青山学院方向へ宮益坂をのぼり降りするのが福岡ハカセの日頃の通勤経路である。宮益坂は急すぎず、緩すぎず、狭すぎず、広すぎず、ちょうど具合がいい。街路樹はケヤキ。これも気持ちがいい。今の季節（三月）は細い枝が空に向かって伸びているだけだが、夏は緑豊かな木陰を作り、秋には黄色い落ち葉が舞い散る。

あの日もこの坂を上がっていった。ハカセは坂の上にある国連大学の裏にあるテレビ企画会社のオフィスを訪れ、番組の打ち合わせをしている最中だった。グラグラグラと揺れが突然やってきた。これまで体験したことがないほど強い揺れだった。会議に参加していたメンバーに緊張が走った。部屋にあった熱帯魚の水槽がザブンザブンと波だち、棚や机の上のものや書類が崩れ落ちそうになった。揺れはしばらく続いた。人々は、本の山を押さえたり、とにかく近くの何かにしがみついたりした。ハカセはとっさにどうしたか。今となってはよく思い出せない。

とりあえず揺れは収まった。水槽の水がこぼれ出たり、書類が乱れたりしたけれど、オフィス内に大きな損傷や怪我人はでなかった。会議は中止、解散することになった。ハカセは青山通りに出て、宮益坂を下っていった。そこには一見、いつもと変わりのない風景があった。家もビルも崩れていない。道にはクルマがふつうに走っている。舗道ではティッシュを配っている若い女の子までいた。彼女にしてみれば、地震が起きる直前までやっていたことをとりあえずは再開する以外に為す術がなかったのだろう。

東京のこのあたりにいた人たちは、ハカセを含めて誰も、このあと東北沿岸にどんな津波が押し寄せてくるか、それがいったい何をもたらすのか、まったく気づいていなかった。渋谷に出ると人が溢れかえっていた。ＪＲも、メトロも、東急線も全部止まっていた。バスやタクシーにも長蛇の列ができていたが、動く気配はなかった。しかたがなく国道２４６号線沿いを歩いて西に向かうことにした。すでにみなが歩いていて大きな人の流れになっていた。自宅がある二子玉川まで十数キロ。どれくらいかかるだろう。

今年もまた、あの日が巡ってくる。

「福岡ハカセ、生命的な建築があるとすれば、それはどのようなものになるでしょう」

そんな風に聞かれたことがある。

「人間は、風雪や災害に備えて、できるだけ堅牢で、頑丈な建造物を作ろうとしてきました。あるいは揺れを吸収するような免震構造で高層ビルを作っています。確かにそれらは五十年あるいは百年くらいならなんとか持つでしょう。

でも千年、二千年となったらどうです。あるいは一万年、二万年となったら？　自然は必ず牙を剝いてきます。かりに何も大きな異変がなくても、形あるものは必ず風化・劣化・酸化して形なきものになっていきます。エントロピー増大の法則です。

その中にあって生命だけが何万年、いや何億年もの長い時間の試練を乗り越えてきました。どうやって？　堅牢・頑丈に作ることをはなから諦めたからです。最初からゆるゆる・やわやわに作りました。そしてエントロピー増大の法則が襲ってくることに先回りして自らを壊しつつ、すぐに作り直してきたのです。つまり（大きく）変わらないために（絶えず）変わり続ける。まあ、これは私の著作のタイトルでもあるんですが。

だからもし生命的な建築があるとすれば、それは、壊されること・作り直されることがあらかじめ内包された方法で建設されたもの、ということになります。しかし、タワーマンションが林立するこの東京に、そんな建物は一棟もないでしょう。はたして千年後の東京はどんな姿になっているのでしょう」


（二〇一八・三・一五）

台風19号直撃

二〇一九年十月十一日　午後、青山学院大の研究室で、編集者と次の本の内容について、打ち合わせ。天気予報では猛烈な勢力の台風19号が接近中とさかんに報道していたが外はまだその気配はない。ところが明日は朝から新幹線も飛行機もほぼ全面的に計画運休するという。

その日、ハカセは大阪・中之島の公会堂で、ある婦人団体主催の講演会を頼まれていた。なんでも創立三十周年。その方々の熱気には並々ならぬものがあり、むしろ、こちらのほうに風圧を感じた。「十二日朝、新幹線が運休すると来られませんので、ぜひ十一日中に大阪にお入りください」と電話がかかってきた。まあ、とりあえず最終の新幹線で新大阪まで行けばいいだろう。席もひとつくらいならなんとかなる。それより本の話し合いにだいぶん根を詰めたから、ちょっとクールダウンしよう、ということで近くのカフェレストランで一献。これが大いなる誤算であった。

夜八時頃、品川駅につくと異様な雰囲気に包まれていた。切符売り場も改札もコンコースもホームも人で溢れていた。チケットの座席を振り替えようとしたらグリーン席を含めすでに全満席。えーっ。でもなんとしてでも今日中に西に行っておかねばならぬ。婦人団体はやる気満々だ。ホームに降り、ちょうどとまっていたのぞみ号のドアのスキマに身体を差し込んだ。座席はもちろん、通路、デッキ、トイレ前、あらゆる場所にぎっしり立錐の余地もないほど人が詰め込まれていた。朝の田園都市線もかくや。こんなのぞみ号見たことない……。ポケットから電話も出せない。まわりの人々も無言のまま全線立ちっぱなし。数時間後、なんとか列車は新大阪に滑り込んだ。ホテルのベッドにそのまま倒れ込んだ。

十月十二日　大阪の朝は小雨。風も強くない。台風はまだ海上にあるという。予定通り午前中はハカセの講演。みなさん熱心に聞いてくださった。公会堂の別の部屋では結婚式が開催されていた。関西圏と東京圏では全然感覚が違う。しかし新大阪駅の新幹線電光掲示板は全部消えていた。今日はもう東京に戻ることはできない。しかたがないのでホテルに戻り休憩、原稿でも書こうかな、と思っているうちにいつしか寝てしまった。

気がつくともう夕方。大阪の西の空は夕焼けが広がっていた。しかしテレビをつけたハカセはびっくり。台風は関東に大接近。ハカセが住んでいる東京・世田谷区の二子玉川地域で、多摩川が氾濫しそうになっているという。そんな。多摩川は上流に奥多摩湖と小河内ダムがあり、河川敷も広大なのに、水位を制御できないなんてことがあるのだろうか。

ところが、二子玉川から少し上流の川崎市多摩地区では、多摩川本流から支線河川への逆流（バックウォーター）による洪水が起き、下流の玉堤地区では逆流を防止するため放水路を閉めたことによる内水氾濫が起きた。

さらには新しいタワマンの街、武蔵小杉でも排水がビル地下に流れ込んでトイレが使えず、エレベーターが止まっているという。なんということだ。

それぞれの水害の原因が異なるということは、それぞれに何らかの人為があるということ。多摩川がこんなに暴れるのは一九七四年の狛江水害の時以来ではないか（この事件は、山田太一のドラマ「岸辺のアルバム」になったので昭和世代はみんな知っている）。一方、江東区や江戸川区などいわゆるゼロメートル地帯には大きな水害はなかった。

ここ何十年かのあいだに、東京ではことさら水の流れが見えにくくなってきた。見えなくなった水を巡って、さらに見えないことが行われている。つまり水の動的平衡を巡って、何かとんでもないことが進行しているように思う。これはきちんと検証すべきことだ。

（二〇一九・一一・七）

住んではいけない

知人A氏との会話（注：A氏は筋金入りのタワマン嫌い派で、〝タワマンは買ってはいけない〟とか、〝タワマンのデメリット〟、みたいな記事は、必ず目を皿のようにして読んでいる人物。それほどまでに何か特定の物事に反発するというのは、自分自身の内部に、その特定の物事に対する羨望や嫉妬が隠されているのではないか、とも思えるのだが……）。

A氏「ハカセ、タワマンどう思いますか。私はあんなところ、おっかなくて到底住む気になれないんです。地震が来たら、いくら耐震構造、免震構造といっても、すごく大きく揺れるだろうし、地震でエレベーターが止まったら、高層階に閉じ込められてしまいます。それに免震ゴムの偽装事件もあったでしょ。取り替えるって話になったらしいですけど、上に高層ビルが乗っかっているその土台のゴムをどうやって取り替えるんでしょう。そういえば、この前、大雨が降ったときも、武蔵小杉のタワマンが水害にあって、地下の電源設備が水没、エレベーターが止まってたいへんな騒動になっていましたよね。とにかく、タワマンは災害に弱いんですよ」

ハカセ「それはそうかもしれませんね。ハカセもいろんな都市に住んだことがありますけど、そういえば高層階に住んだことはありませんね。でも、高いところから遠くに丹沢山系やその向こうに富士山が見えたり、大都会の夜景を眼下に眺め渡しながら、風に吹かれてビールでも飲めれば、それはそれで気持ちいいんじゃないですか。天下を取ったというのは大げさですけど、なんか、つかの間、偉くなった気分になれるのではないでしょうか」

A氏「いや、まさに私ががまんならないのもそこなんですよ。パワーカップルかなんか知りませんけど、タワマンに住むことが都会の成功者の象徴みたいに言われるのがおかしいんです。だいたい、今はピカピカですが、このあと十年か二十年も経つと、外壁の防水やエレベーターの保守、その他の修繕やメンテナンスに多大なお金がかかるんです。さらに時間が経つと当然老朽化が進みます。しかしタワマン一棟の住居は何百戸もあるのがほとんどなんで、建て替えの合意などとれっこありません。つまり日本全国のタワマンは百年もたたないうちにスラムや廃墟になっていくんです」

ハカセ「でも、高層階に住むと、日当たりも風通しもいいだろうし、街路の騒音も上の方までは聞こえてこないので、静かに本を読んだり、勉強に集中できそうだし、蚊とかハエとかも何十階までは上がってこないんじゃないでしょうか」

A氏「ハカセ！　そんな私の気持ちを逆なでするようなことばかり言わないでくださいよ。私が聞きたいのは、もっとタワマンの高層階に住むことの、なんというかな、そうそう、生物学的なデメリットを言ってほしいんです。健康に悪いとか、成績が下がるとか、精神衛生上悪いとか、そういうことは何か言えませんか!?」

ハカセ「そういうエビデンスは今のところ何もないんじゃないでしょうか。あっ、そうだ。ひとつ確実に言えることがあります」
Ａ氏「えっ、それは何ですか？」
ハカセ「高いところに住むと確実に寿命が短くなります」
Ａ氏「いやいや、さすがに科学者がそんな非科学的なことを言っては困ります」
ハカセ「いえ本当です。アインシュタインの相対性理論によれば、時間の進み方は重力が大きいほどゆっくりになります。逆に、重力が小さいほど、つまり高いところほど時間は早く進むのです。だからタワマン高層階に住むと時間経過が早まります。ただし、それは一日に十億分の数秒くらいなので、一生住んでも、一秒に満たない差ですけど」

（二〇二〇・五・七）

賃貸vs.持ち家論争

少し前の夜、知人と新宿で飲んだ。ハカセは新宿に全然詳しくない。なので、その知人とはまず紀伊國屋書店で待ち合わせることになった。ここならハカセにもわかる。それにこの書店の奥には、小ぶりながら岩石・化石ショップがあり、新宿にはほとんどこないハカセにとってもここだけはお気に入りの場所。アンモナイトやら青いラピスラズリ石に見とれていると、彼が背後から声をかけてきた。やっぱりここにいましたね。今日はちょっとした穴場にご案内しましょう。

夜の街を歩きだす。と思えば歌舞伎町方向へ。そちらはますます不案内だなあ。ある雑居ビルの前まで来るとおもむろに暗い階段を降りる。え、この下にお店があるんですか。看板も何も出ていないけど。階下につくとそこにはのれんが。中はカウンターとちょっとしたテーブル席のわりと品のある割烹。へえ、確かに穴場ですね。ならんで座って、さっそく一献。

今年もいろいろありました。私たちもなかなか落ち着きませんね。そうそう、この前、試しに数えてみたらハカセはこれまでの人生で二十回も引っ越ししているんです。今も日本と米国を行き来していますし、終《つい》の棲家なんて夢のまた夢ですね。

その知人も職住近接を選んで、ずっと賃貸派だそうな。そうそう、賃貸vs.持ち家。これは住まいをめぐる永遠の論争ということになっている。同じお金を払いつづけるなら家賃ではなく、ローンを払って最後は自分の持ち家になる方がよいではないか。いやいや、人生、いつ何時、何が起きるかわからない。巨額の借金など背負わず、そのときどきで住みたい場所に住むほうがよいではないか。侃々諤々《かんかんがくがく》。実はこの論争、進化論的にはとうの昔に決着がついている。われら賃貸派の勝ちなのだ。

イカを調理したことがある人はご存知と思いますが、コウイカなどの体内には平たい皿状の〝骨〟がある。ヤリイカやスルメイカなどではさらに薄い透明のプラスチックのような〝骨〟がある。俗にイカの甲と呼ばれているこれ、ほんとうは骨ではありません。これは貝殻の名残り。そう、先ほどハカセが化石ショップで眺めていたアンモナイト。アンモナイトは貝類ではなく、貝殻の中にはイカのような軟体生物がいたと考えられている。でも軟体部分はその名のとおり柔らかい組織なので個体が死ぬとまもなく消え去り、殻だけが残って化石となった。

そのアンモナイト、恐竜が闊歩していた時代には大繁栄して世界中の海に棲息していた。硬い殻は外敵から身を守るのに役立ったが、一方でたいへんな負担にもなっていた。「持ち家」には維持管理のコストが重くかかるのである。殻の主成分はカルシウム。常にメンテが必要で、成長に伴って大きく作り変えていかねばならない。そのためにカルシウムを含む餌をたくさん食べなくてはならない。

アンモナイト（のさらに祖先）の一派は、その負担に耐えかねて殻を捨てることにした。いっそ殻を脱げば、維持の苦労もないし、身軽に行きたいところに行ける。隠れたいときは狭い隙間にも潜り込める。すると新しい餌にもありつけるかもしれない。殻をもたない一派は、自在に泳ぎながら本当の骨を進化させて魚になり、陸に上って両生類、爬虫類、鳥類、哺乳類へと変身を遂げた。つまり賃貸派は進化の可能性を拓いた。つまり私たちヒトはもともと賃貸派の末裔なのである。

今から六千五百万年前、大隕石が地球に衝突して気温が下がり、植物の光合成が低下した際、殻を背負っていたアンモナイトは絶滅してしまった。なので持ち家派は環境が安定しているあいだはよいが、ひとたび天変地異が起きたとき、臨機応変に動けないのである。それでもあなたはなお「持ち家」が欲しいですか？

（二〇一九・一二・一二）

赤プリと都市の生命化

地下鉄を赤坂見附の駅で降りて坂を文藝春秋の社屋の方へ歩いていく道が好きだ。東京のど真ん中というのに、橋のたもとには釣り堀があり、貸しボートが繋がれている。そういえば橋の右手には、かつて、白鳥が大きな羽を広げたような赤坂プリンスホテルが優美な姿で建っていた。バブル華やかなりし頃、ここで恋人とクリスマスを過ごすことがおしゃれなトレンドだったこともあったのだ（ハカセには無縁の世界だったけれど）。

その赤坂プリンスホテル、東日本大震災が起きてしばらくした頃のことだったが、上層階に帽子を被されたような囲いが組まれたかと思ったら、たちまちそれが縮んでいって、あっという間に解体されてしまった。これはテコレップシステムという画期的なビル解体法だそうだ。跡地には、東京ガーデンテラス紀尾井町というピカピカの巨大なビルが、これまたあっという間に建ち上がった。こうして都市の記憶はものの見事に書き換えられてしまう。

なぜハカセがこんなことを書いているかといえば、大学のゼミの学生がこんなことをメイルしてきたからだ。「最近、就職活動が始まりました。私は都市開発や街づくりに興味があるので、デベロッパーや建設会社のインターンに参加しようと思っています。ある本に『街は生き物だ。

新陳代謝が進まなければ、淀んで顔色も冴えなくなってしまう』と書いてあり、街づくりにおいても、動的平衡の大切さを感じました。都市の開発や持続可能性にも、生命と同じように『動的平衡』と『相補性』や『関係性』がキーワードになってくるのではないかと考えました。そこで何かヒントをいただけないかと思い……」

こういう風にちゃんとハカセの本を読んでくれている学生にはこちらとしても意気に感じるところ。さっそくアドバイスすることとした。

①ビルの解体や建て替えについて調べてみることを手がかりにすればよい。

②都市に建ちならぶビルを眺めると、はたしてこの中に、解体することを想定して建設された建物などあるだろうか。

③ひるがえって、生命体はすべて、タンパク質にしても、細胞の構造にしても、いつも自らを解体し、構築しなおしている。あらかじめ分解することを予定した上で、合成がなされている。作ることに壊すことがすでに含まれている。これが生命のあり方。

④もし、このような視点を都市論や街づくりに取り入れることができるなら、それがほんとうの「生命化」といえるのではないか。そろそろ二十世紀型パラダイムを作り変える必要がある。

一方、ハカセ自身も実はこのパラダイムシフトに悩んでいるのだった。というのも、ハカセが執筆や本の置き場に使っている古いマンション（築四十数年）がいよいよ老朽化して建て替え問題が出ているのだ。とはいえ一筋縄ではいかない。建て替えには住民の八割の賛成が必要だが、それぞれ事情があり、不在所有者も多いので、意見集約は容易でない。もし建て替えるとしても、もとより生命的に作られているはずもないので、大掛かりな解体・新築に三年は要する。するとその間、ハカセの大量の本や資料や蝶の標本や切手のコレクションやフェルメール作品の数々はいったいどうすればよいか。こういう余分な経費の他、そもそもより広い建て替え新築住戸に移れば、かなりの増床金が発生する。などなど難問山積である。

東京中に林立しているタワマンも、今のうちこそ、都会人のあこがれの的かもしれないが、五十年、六十年が経過すれば、当然、動的平衡の問題に直面せざるを得ない。学生君よ、是非、長い射程を持った視点で、都市を考え、解体や建て替えが織り込まれた建築の可能性について追究してください。

（二〇二〇・九・一七）

岡本太郎 vs. 隈研吾

一九七〇年三月十五日、大阪で万国博覧会（万博）が開幕した。ハカセは小学校四年生だった。大学生たちはデモに繰り出し、講堂に立て籠もり、東大の入試は中止された。ハカセたちの世代はそんな不穏な騒ぎを耳にしながらも、彼らが一体何に対して異議申し立てをしているのかよく理解できず、そもそも学生運動に参加するには幼すぎた。むしろ私たちは来るべき科学の時代に目を奪われていた。

アポロ11号が初の有人月面着陸に成功、そしてアポロ12号が持ち帰った月の石が万博に展示されていた。当時、関東にいた私は親にねだって春と秋の二回、足を運んだ。満員のバスに揺られていると、千里丘陵の竹林の向こうに未来的な建物の尖塔が立ち並ぶのが忽然と見えてきた。胸が高鳴った。少年は、最新の科学技術が切り開く時代、万博のテーマである「人類の進歩と調和」をナイーブなまま信じていた。

万博のシンボル、太陽の塔にも行った。来場者は一旦地下に入り、そこから塔の内部の暗く赤い空間に導かれる。中には「生命の樹」と呼ばれるモニュメントが。樹には三葉虫やアンモナイトが貼り付いていた。エスカレーターで昇りながら、生命進化数十億年の過程を体験できるようになっていた。最後は塔の腕の先から外へ出たように記憶している。

太陽の塔を振り返ると、裏側の背面には、大きな黒い呪術的な顔が描かれていた。そういえば、表側の正面中央には苦悶に歪むような白い顔、塔の頂上の顔は無表情な黄金の仮面である。これのどこが「人類の進歩と調和」なのだろう。スタイリッシュな意匠を凝らした他の未来的な展示館とは違って、太陽の塔の趣きは異形といってよかった。その違和感は子どもにも十分感じ取ることができた。地下には、もうひとつ「地底の太陽」があったが、現在は行方不明。私はそれを思い出せない。

今にして思えば、これこそが岡本太郎による彼一流のアンチテーゼだったのだ。お祭り広場を覆う大屋根を突き抜けて屹立するこの塔の姿自身に、縄文土器の火炎のような、太古の生命のダイナミズムが性的なまでに体現されており、一方で、苦悶と闇を内包しながら私たちの行く末を暗示していたのである。

人類の未来は進歩していくわけではない。調和していくわけでもない。自然を破壊し、環境に負荷をかけ、人々のあいだには分断が広がり、情報に踊らされているだろう。人々は表向き、無表情な仮面をつけているが、その下は呪いに充ちている。まさに万博半世紀後の現在の私たちの姿だ。

シンクロニシティといえばよいのか。ごく最近、赤い暗がりの中に、別の生命樹を見た。建築家・隈研吾の作品展「くまのもの」である。煉瓦壁の東京ステーションギャラリーには、彼が選んだ竹、木、石、繊維といった自然に近い素材が、いかにして建築物として組み立てられてきたのか、その進化の過程がまさに生命の系統樹の如く展開されていた。「積む」「粒子化」「包む」などのキーワードにそって枝が伸びている。まさに、福岡ハカセが探求する〝生命的な建築〟を具体化したものである。

都市が、規格化されたコンクリートと鉄骨によって四角四面に分断・分節化された結果、失ってしまった生命的なもの——可変性や代謝能、柔らかさや暖かさ、環境との調和——を回復するための提案である。同時にこうも感じた。これはつまり、あの万博から五十年の年月を経て、岡本太郎がかつて投げつけたアンチテーゼへの、隈研吾による静かな回答にもなり得ているのだと。

（二〇一八・三・二二）

第5章　地球より愛をこめて

リュウグウの砂

ハカセは、モノ持ちがいいので、今から半世紀前の一九七〇年、大阪で開催された国際万博EXPO'70の入場券をいまだに持っている。今、見てもかっこいい幾何学模様のデザイン。その年、十歳だった少年ハカセは、わざわざ東京から出かけ、春と夏、二回も会場に行った。ものすごい人出でどのパビリオンも長蛇の列。一回だけでは到底見たいものが見きれないからだった。

これを最近、知人に話したら「それは福岡さんがボンボンだったということ。二回も連れて行ってもらえるなんてすごく贅沢なんです。漫画『20世紀少年』を見てごらんなさい。行きたくても行けなかった少年が、行ったと嘘をつくんです」と言われてしまった（別にお金持ちではなく、普通のサラリーマン家庭だったのだが）。

EXPO'70の一番人気は、アメリカ館だった。それは現代で言えば東京ドームを先取りしたような、白い空気膜構造で覆われた楕円形の巨大な建築だった。内部に柱はなく、当時の宇宙工学の粋を結集して設計されたものだった（ガラス繊維とワイアロープだけで屋根を支え、内部の空気圧で膨張させていて、十八センチ程度の降雪があっても支えられるとされていた）。

そして内部の目玉展示は、その前年、アポロ12号が月面着陸に成功し持ち帰ってきた「月の石」。それは褐色の溶岩のような岩石で、支持台のガラスケースの中に燦然と輝いていた。人類が地球以外の天体から持ち帰ったはじめてのサンプル。私の夢想は宇宙の彼方にひろがっていった。

そこから半世紀。再び大阪に万博が招致されることとなった。EXPO2025である。前回のテーマは「人類の進歩と調和」だったが、今回は「いのち輝く未来社会のデザイン」。

そして、はからずも、この福岡ハカセ、プロデューサーのひとりとして「いのちを知る」テーマ事業の立案をお手伝いすることになった。生命三十八億年の進化史のドラマを振り返りつつ、コロナ後の生命哲学を提案する企画を考えているのだが、何か目玉展示にふさわしいものはないかなあ、と思案しているところ。あの「月の石」を超えるような、夢のある何か……と考えていたら、そうだ、あるじゃないか！　と気がついた。ちょうど小惑星探査機はやぶさ2が持ち帰ってきた「リュウグウの砂」である。

二〇一四年、はやぶさ2は孤独な宇宙の旅に出た。三年半をかけて、地球と火星のあいだにあるリュウグウのそばに到着した。リュウグウはソロバンの玉型をした岩だらけの小惑星。直径約九百メートル。はやぶさ2は、ごくわずかな平原に着陸、表面の砂を採取するだけではなく、地下のサンプルまで取得するという困難なミッションを成功させ、先日、地球近くに帰ってきた。砂が入ったカプセルだけが切り離され、オーストラリアの砂漠に落下。はやぶさ2本体は、さらなる宇宙の旅に再出発した。

「月の石」には生命の痕跡はなかったが、リュウグウの砂には有機物が含まれている可能性がある。それこそ地球生命の起源かもしれない。いのちを〝知る〟にはもってこいではないか。二〇二五年の開催までには分析結果も出ているはず。ぜひＪＡＸＡに協力を要請してみよう。

（二〇二〇・一二・二四）

これだけは見ておきたいお宝

重い扉を押して建物の中に入ると天井の高い、明るいエントランスホールが広がっている。異形の物体はその中央に鎮座していた。直径三メートルはあろうか。黒くて巨大な紡錘型。見る者の目を引きつけるのは、その紡錘型のいたるところに、鋭い刃物で抉《えぐ》りぬかれたように、多数の穴が穿《うが》たれていることだ。一見、現代アートの彫像にもみえるが、物体が放つ不思議な神々しさには、この世のものとは思われぬ、超自然的なオーラがある。決して人の手で作られたものではない……実際、地球の自然を超越した世界から飛来した。

ここはニューヨークのアメリカ自然史博物館。目の前にあるのは、北米で発見された最大の隕石、ウィラメット隕石である。生きているうちに一度は見ておきたい世界の至宝、というものがある。大英博物館ならロゼッタストーン、ルーブル美術館ならモナリザ、マウリッツハイス美術館なら真珠の耳飾りの少女、法隆寺なら百済観音といったところだが、福岡ハカセが、ぜひとも推薦したいのが、このウィラメット隕石である。

隕石が、ここアメリカ自然史博物館に至った経緯はなかなかに興味深い。パネルや資料をもとにちょっと辿ってみよう。一九〇二年、オレゴン州の小村ウィラメット近郊で入植者のエリス・

ヒューズによって発見された。あたりは渓谷地だったが、そんなところにこんな異様な巨石があれば誰でも驚く。ヒューズは直感的にこれが貴重なものだと考えた。人里離れた渓谷地とはいえ、すでに土地はオレゴン鉄鋼会社に登記されていた。ヒューズは一計を案じた。自分の土地で発見したことにすればよい。

ヒューズは三ヶ月かけて隕石を一マイルほど離れた地所に運んだ。ところが悪事はすぐに露見した。こんな巨石（重量十五トン）を運搬したのだから、加勢した人々や目撃者が多数いたのだ。訴訟となり、オレゴン鉄鋼会社が取り戻した。隕石の所有権はなかなか微妙で、その土地に少しでもめり込んでいれば土地の所有者のものになるが、単にそこに落ちているだけならば拾い上げた人のものになるらしい。この裁判はその判例になっているそうな。みなさんも隕石を見つけたらすぐにポケットにいれた方がよい。隕石はお金になる。ヒューズは儲けそこねたが、その後、ウィラメット隕石はニューヨークの篤志家が、オレゴン鉄鋼会社から購入し（現在のお金にすると一億円弱ほどで！）、それがアメリカ自然史博物館に渡った。

そもそもウィラメット隕石は、ウィラメットに墜落したものではない。付近にクレーターも破片もなにもないのだ。太古のある時（この時期は定かでない）、もっと北部のカナダあたりに墜落したものが、氷河期の終わりの洪水によって運ばれてきた。その間、雨水に打たれ、隕石中に発生した硫酸が鉄を溶かし独特の穴を形成した。

隕石をめぐる諍《いさか》いはこれだけでは収まらなかった。最初の発見者ヒューズは、白人として「発見」しただけで、実はこの隕石はそれよりもずっと以前から、原住民インディアン部族によって聖なる石「トマノオス」として祈りの対象となっていた。彼らはこの石が「空の民」からの贈り物と考えていた。ちゃんと隕石の由来が宇宙であることを見抜いていたのだ。窪みに貯まる水には魔除けや癒やしの作用があるとされた。その後、原住民たちは白人入植者によってこの地から追い出された。そんな遺恨があり、近年になって原住民の末裔たちが、自然史博物館に対して隕石の返還訴訟を起こした。なんとか和解し今に到る。

さて、お得なのは、隕石にじかにさわれること。触れると硬い表面はひんやりと冷たい。悠久の時空に思いを馳せた。

（二〇一八・四・二六）

オハイオ州は何が有名!?

福岡ハカセが客員教授をしている米国ロックフェラー大学で知り合った若い研究者が、新しいポストを見つけてオハイオ州の研究所に赴任することになった。おおまかに言って米国では、有名大学・エリート研究所は、西海岸（サンフランシスコ—ロスアンジェルス—サンディエゴ）か、東海岸（ボストン—ニューヨーク—ワシントンDC）にある。

優秀な研究者の卵たちは、このいずれかの地域で教育を受け、そのあとはいったん各地に散らばり、そこで業績と実績を積んで、また西海岸か東海岸に戻ってくるのが夢、というのが出世すごろくのパターン。最後は、西海岸ならスタンフォード大、東海岸ならハーバード大の教授になって上がり!?

オハイオに旅立つ彼の未来に、幸《さち》多きことを祈って小さなお守りを渡すことにした。それは25セント硬貨。通称クオーター。

百円玉より一回り大きい白銅貨で、もっともよく使われるコインなのだが、デザインに何種類ものパターンがある。通常版は、表にジョージ・ワシントン、裏がハクトウワシなのだが、裏が州別のご当地デザインになっているものがあり、餞別に渡したのはこのシリーズの中のオハイオ州バージョン。アメリカの白地図を見せられてオハイオ州の場所を正確に指せて、その特徴を言える人はアメリカ人にも少ないと思うが、中西部の内陸州。

オハイオ州クオーターのデザインを見ると、州の四角い輪郭線とともに、軽飛行機と宇宙服を着た人間が描かれている。なんで宇宙服？　目を凝らすと小さな字で、BIRTHPLACE OF AVIATION PIONEERSと書かれていた。航空における先駆者たちの出生地。ははあん。なるほど、そういうことか。

初めての有人月面着陸に成功したのは一九六九年七月二十一日、アポロ11号だった。そして「これは一人の人間にとっては小さな一歩だが、人類にとっては偉大な跳躍である」というあの有名な一言を発したのが、人類で初めて月面に降り立った船長のニール・アームストロングである。このアームストロングが生まれたのが、オハイオ州のワパコネタという小都市だった。

彼はその後、州外の名門パデュー大学を出て、海軍に入り、テストパイロットとなり、その後、宇宙飛行士となった。だからオハイオ州は単に生まれた場所に過ぎないのだが、アームストロングはアメリカ人にとって偉大すぎるヒーロー。有名人の出身地が地元おこしのネタになるのは洋の東西を問わないということなのね。

で、もうひとつのデザインの軽飛行機は何かといえば、世界初の有人動力飛行に成功したライト兄弟のうち、弟のオーヴィル・ライトの生まれがオハイオ州デイトンなのだった。ただし、彼らが実験飛行を行ったのは、強風が吹き抜ける場所として選んだノースカロライナ州の砂丘地。

一九〇三年十二月のことである。複葉のライトフライヤー号の第一回飛行はわずか十二秒、三十六メートルほどの距離を空中に浮かんだ。だからオハイオ州はちょっと苦しいが、出身地ネタといえばそのとおり。

ライト兄弟は波乱万丈の生涯を送った。初飛行の先陣争いと飛行機の特許を巡って不毛な闘争が長年にわたって繰り広げられた。実験機が墜落したこともある。同乗者が死亡、オーヴィル自身も重傷を負った（世界初の飛行機事故）。米国内で、ライト兄弟の功績が公式に認められ、ワシントンＤＣのスミソニアン博物館にライトフライヤー号が展示されることになったのは一九四八年。初飛行から実に四十五年後のことだった。

ということで人生何が起こるかわからない。（ハカセがコインを渡した彼の出生地はどこか知らないのだが）故郷に錦を飾れるようがんばってください。

（二〇一八・二・一五）

天保六年のヨットボート

江戸の天保年間といえば、一八三〇年代から四〇年代。大坂では、大塩平八郎が革命をめざして決起、江戸幕府の鎖国政策を批判した高野長英らが捕らえられ牢に繋がれるという言論弾圧事件も起きた（蛮社の獄）。時代は、倒幕と開国の激流に向けて大きく変化していくまさにそのとばぐちにあったのだ。

その頃、欧米は拡大路線を着々と進んでいた。六門の大砲を搭載した大型帆船のイギリス軍艦が大西洋を南下、南米南端に近づいていた。フォークランド諸島、フエゴ島など、地政学的に重要な拠点はすでにイギリス支配下にあった。軍艦はマゼラン海峡を抜けて、太平洋に出た。そのあと今度は南米の西岸に沿って北上し、エクアドル沖合千キロに位置する絶海の孤島に到着した。ガラパゴス諸島である。一八三五年九月のことだった。

エクアドルはそのほんの数年前、スペインの支配下から脱し独立を果たしていた。独立の高揚のなせるわざか、エクアドルは一八三二年、ガラパゴス諸島の領有を宣言した。水も資源もなく、大きなゾウガメとイグアナなど奇妙な生物だけが暮らすこの島は、不毛の土地とされ、ながらくどの国もほとんど興味を示さなかった。しかしもし、イギリス軍艦が、先にガラパゴスに到達していたら、彼らはさっそくユニオンジャックの旗を浜辺に立てたことだろう。そうなれば、今頃、ガラパゴスは、無軌道に開発され、ホテルやロッジなどが立ち並ぶ格好の南国リゾート地となり、貴重なガラパゴスの生物たちの大半は絶滅するか、その瀬戸際に追い詰められていたに違いない。だから、ハカセは、からくもイギリスに先んじて、エクアドルが領有を宣言し、今日に至るまで島の自然を守り抜いてくれたことに心から感謝を捧げたい。

さて、一八三五年にガラパゴスに着いたイギリス艦船の名はビーグル号である。その中に若き頃のチャールズ・ダーウィンがいた。乗員七十六名のうちほとんどがイギリス軍人だったが、ダーウィンは船長フィッツロイの話し相手として客員待遇で乗船させてもらっていた数少ない非軍人だった。客船ではないので、風呂などはもちろんなく、狭いベッド、わずかな水、まずい食事、トイレなども海へ直接ぼっとんする形式だった。上流階級出身のひよっこで、まだ二十歳そこそこだったダーウィンが、よくもまあむくつけき男たちに混じって、この数年に及ぶ長い航海を耐え抜いたことに驚嘆する。この航海で彼が見聞きした博物学的な知見や収集した鳥や昆虫の標本などが、後に大著『種の起源』として結実し、生物学最大のセオリー、進化論として世界を変革することになる。

ハカセの積年の夢は、このビーグル号航海記の旅と同じ航路をたどり、ダーウィンが見たのと同じ光景、同じ動植物を観察し、ダーウィンの思索をたどること、そしてその上で、現代の生物学の視点から、進化論を再考してみたい、ということだった。ビーグル号の全航海は五年弱。ガラパゴスのあとにはタヒチ、タスマニア、モーリシャスとまさに現代のリゾートをめぐる壮大な旅だったので、これを全部追いかけるのは到底無理としても、少なくとも核心のガラパゴスの旅だけでもあとづけたい。ずっとそう思っていた。

それでもガラパゴス諸島はおよそ関東平野くらいの規模で大小百以上の群島からなり、ダーウィンが訪れた主要な島だけでも五つもある。それをダーウィンが行ったとおりに回るには観光船などではなく、独自に船をチャーターし、国立公園当局からも許可をもらい、監視役のレンジャーを同行させねばならない。果たしてそんなことができるだろうか。夢は願っていれば実現するものなのだ。その夢の続きは次節で。

（二〇二〇・五・二八）

ガラパゴスに行きたい

ガラパゴスに行きたい。それも今から百八十五年前、若きチャールズ・ダーウィンを乗せたイギリス艦船ビーグル号と同じ航路で、諸島を巡って、彼が見た光景を追体験してみたい。これがハカセの長年の夢だった。しかし、そんな夢のような旅はそうたやすく実現するはずもない。まあ、夢は夢のまま終わるのもよいかもしれない。

日本では、ガラケーという言い方があるとおり、ガラパゴスはいわば揶揄の言葉となっている。「いまだに、二つ折りのガラケーを愛用しているおじさん」みたいに。つまり、ガラパゴスというのは、独自の発展を遂げたものの、結局、行き場を失った進化の〝袋小路〟のような場所と思われている。けれども、これはおおいなる間違いである、と声を大にしていいたい。ほんとうのガラパゴスは、進化の実験場であり、進化の最先端と言ってもよい。それは次のような、ガラパゴス諸島成立の特殊な事情による。

現在、アジア、南北アメリカ、アフリカなどを形作っている大陸は、もともとパンゲアと呼ばれる超大陸としてひとつながりのものだった。パンゲアの前にはパノティアと呼ばれる大陸があり、それよりもさらに昔、今から二十億年くらい前にはヌーナ大陸というものがあった。生命は約三十八億年も前、海で誕生したと考えられ、その後、長い年月を経て、進化し、魚類、両生類、爬虫類、鳥類となって陸上に上がってきた。それぞれの進化のステージで、その時代の牽引役が存在している。現在は、我々ヒトを含む哺乳類が生物界の主役といえる。

一方、ハカセが大好きな蝶やカミキリムシなどの昆虫類は、この系譜とは全く違う道をたどって（魚よりも前に、骨を身体の内部に作ることを諦めて、外側を硬くした）、それはそれで大発展した。現在、知られている生物種はおよそ三百万種ほど。そのうち半数は昆虫が占めている。もし、私たちヒトが、ウイルス感染によって絶滅しても、あるいは気候変動や核汚染で生存できなくなったとしても、虫たちは平然と生き延びていくだろう。

さて、ハカセが言いたいのは何かといえば、現在の大陸に棲息するあらゆる生物は、少なくとも数億年のスパンで互いにせめぎあい、あるいは譲り合い、あるときは食う食われるの関係となり、また別のときは協力や共生しあう約束を結び、とてつもなく複雑な生物の社会を作り上げてきた、ということである。ある限られた場所を見たとしても、そこには幾重にもかさなりあった生物多様性があり、何万種、何十万種もの生物がひしめき合っている。

ところが、ガラパゴスはそうではない。ガラパゴスは、大陸に比べると、ほんのわずかな、一瞬としか呼べないような歴史しかない。つまりガラパゴスは新しいのである。大陸の生態系とは全く独立して、今から数百万年前に（これは地球史全体から言えば、ほんのちょっと前、である）海底火山の噴火によって溶岩が押し上げられ、新しい島ができた。できた当初は熱々の溶岩が流れ出ただけで、水も土もなかった。当然、植物も一本も生えていなかった。だから、この場所では、生物世界の形成がゼロから始まらなければならなかった。

まず、風に運ばれた植物のタネのうち、乾燥に強く、僅かな雨水や湿度だけで生育できるものが、ようやく冷えた溶岩の隙間にわずかに芽を吹いた。そんな貧弱な植物を頼りに鳥が訪れるようになった。そして一番近い南アメリカから、千キロも離れたこの島に奇跡的な偶然によって流れ着いたものたちがいた。それが現在のガラパゴスを形作っている。進化の実験場ということであり、その現場をひと目みたいと願ってきた。それが今年（二〇二〇年）、コロナ問題の直前に実現した。

（二〇二〇・六・四）

違うよ！　もやウィン

ガラパゴスといえば、進化論のチャールズ・ダーウィンゆかりの地。その進化論が今、急にニュースで話題になっていると聞いた。なんでも、自民党広報サイトに「教えて！もやウィン」なるコーナーが登場、もやウィンというヒゲにもじゃもじゃ白髪のキャラクターが、ケントとノリカという男女に語りかける4コママンガが物議を醸しているという。

もやウィンのウィンとは、ダーウィンのもじりらしいが、もやとは？　サイトによれば、このもやウィンが、憲法改正に関する〝もやもや〟にお答えしましょう、ということらしい。もやウィンは言う。

「わたしはもやウィン　ダーウィンの進化論ではこういわれておる」「最も強い者が生き残るのではなく　最も賢い者が生き延びるのでもない」「唯一生き残ることが出来るのは、変化できる者である」「これからの日本をより発展させるために」「いま憲法改正が必要と考える」

これに対して専門家から、ダーウィンはそんなこと言ってない、進化論の誤用だ、との批判が相次いだ。確かに、この言い回しは進化論の俗流解釈のひとつで、ダーウィンの原著『種の起源』そのものの引用ではない。でも、強いことや賢いことではなく、変わりうることが進化の原動力になっている、という主旨については当たらずといえども遠からずである。

4コママンガを見ていくと、もやウィンはこんなことも言っている。

「その時代や暮らしにあわないときは意見をだしあい、改正が必要か国民投票で判断をする　まさに新陳代謝じゃな」

新陳代謝ねえ。この分では、そのうち、ハカセが言っている動的平衡も引き合いに出されそうな勢いですな。

「君たち、動的平衡を知っておるかな。生命は、絶えず自らを率先して壊し、そして絶えず作り変えている。これが、エントロピー増大の法則に対抗して生き延びるための唯一の方法じゃ。憲法も、生き延びるためには……」なんてね。

でもね、もやウィン、それは違います。生命のありようを、人間の規範や制度に当てはめようというのは間違った考え方。むしろ、生命のありようを相対化できたのが人間という生物である。人間は、生物の中で唯一、遺伝子の掟から自由になれた種だといえる。生物にとって、遺伝子の掟とは一言でいえば、産めよ・増やせよ、ということ。種の存続が至上命令であり、そのために個々の生命はいわばツールでしかない。個体は次の世代を作り出す道具。大半は食われたり、のたれ死んだりしてしまう。そして、役に立たない個体、生産性のない個体に用はない。これが遺伝子の掟。人間は、この遺伝子の束縛に気がつき、そこから自由になることを選んだ。種の存続よりも、個の生命を尊重することに価値を見出した。これが基本的人権の起源だ。

別に、種の保存のために貢献しなくてもいい。産んだり・増やしたりしなくても罪も罰もない。個の自由でいい。なぜ人間だけがこんな境地に達することができたのか。それはとりもなおさず言葉を作り出したからである。

言葉の力によって、生命が本来的に持っている不確かさや気まぐれ、あるいは残酷さや冷徹さに対抗しえたのだ。言葉の作用によって、遺伝子の命令から脱し、個体の自由を獲得したのである。なので、もやウィン、生命体としての人間は幾らでも変わり続けていいのです。身も心も不安定なものであり続けます。だからこそ、いや、それがゆえに、遺伝子の外側に置いた言葉の約束は、そう簡単に変えてはいけないとハカセは思うのです。

（二〇二〇・七・一六）

沖縄—ブラジル、38分！

ＪＲ東海が建設中のリニア中央新幹線の東京—名古屋開業が、予定の二〇二七年から遅れる公算が大きいという。環境への影響を懸念する地元・静岡県の同意が得られず、最大の難関とされる南アルプスを貫通するトンネルの工事が進められないからだ。標高三千メートル級の山脈の横腹を二十五キロメートルにわたって掘削するという大計画だが、途中、静岡県にかかる部分で、大井川水系の地下水脈を分断、水量が減少し、下流の県民生活に影響が出る可能性があるというのだ。

ちなみに、リニア中央新幹線の公式ホームページを参照してみると、リニアモーターの原理から、超電導の仕組み、ＮＡＴＭなど最新のトンネル工法（掘りながら、鋼材やコンクリート、ロックボルトなどで壁面を固めていく方法）など、微に入り細に入り、きれいなＣＧで説明がなされていた。これは鉄道ファンにとってはとても興奮するサイトだろうし、ハカセにとってもたいへん勉強になった。

実は、古い認識のまま、リニアモーターは列車の底面にあるのだと思っていたのだが、現行方式は側面にある。列車側にあるのが液体ヘリウムで冷やした超電導磁石、壁面にあるのが切替式の電磁石のコイルの列で、このコイルの極性が次々と切り替わることによって、列車が高速で推進されるようになっている。

治水の問題は、なんとか双方が納得できる解決策を見出していただきたいものだが（ＪＲ東海は、トンネル工事による湧水を大井川水系に戻す導水路の設置を提案しているが、議論は平行線だという）、これだけの工学・土木技術があれば、あのアイデアもひょっとすると夢ではないかもしれない、とハカセには思えた。真剣に頭を悩ませている関係者の方々のことを思えば、こんな話を持ち出すのはたいへん不謹慎なのだが、あのアイデアとは「地球トンネル」のことである。

地球トンネルとは、地球の中心めがけてトンネルを掘り、反対側まで貫通させて、ここを行き来しようというＳＦ的着想。古来、地球の内部ががらんどうではなく、重い金属が詰まっていることは、ニュートンの予言やキャベンディッシュの実験によってわかっていた。

いまだに、地球の深部がほんとうにはどうなっているのか正確にはわかっていないが、高温のマグマであろうと、鉄の塊のコアであろうと、最新の掘削技術で掘り進み、壁面を超耐熱のセラミックで被覆して、二ＸＸＸ年、ついに地球トンネルが完成したとしよう。

地球儀で見ると、東京の真反対側は南米の大西洋上になってしまうが、沖縄の那覇あたりから掘れば、ブラジルに到達できる。このトンネルを通行するのだが、リニア新幹線と違って動力が全くいらない、というのがミソ。入口からトンネル内に飛び込むと、そのまま地球の重力に引っ張られて、どんどん加速して落ちていく。中心を過ぎると今度は徐々に減速していき、反対側の出口に到達するときちょうど速度はゼロになる。ブランコと同じ原理である。

さて、この地球トンネルを使って地球の反対側に行くのにどれくらいの時間がかかるか。地球の半径はおよそ六千四百キロメートル。地球の重力加速度は、秒あたり九・八メートル／s^2なので、t秒後の速度は、九・八×t。この関係式を解くと、入口から地球中心まで、およそ十九分、地球中心から出口まで同じくおよそ十九分となる。あわせてたった三十八分。リニア新幹線が品川から名古屋に行くよりも早く、地球の反対側に着けることになる！

ただし地球中心の通過速度は秒速一万メートル。この速度に耐える安全なシャトルが必要となるが、未来のJR東海なら実現できるかも。

（二〇二〇・七・二三）

第6章　すばらしき哉、昆活人生！

母さん、僕のあの蝶は

福岡ハカセの夏休みの小さな楽しみに異変が起きている。

小さな楽しみとはアゲハチョウの飼育。小学校以来の趣味である。通勤路の途中に、ミカンの木があり、毎年、初夏になると葉っぱに極小の真珠みたいなアゲハチョウの卵が産んである。これをそっと持ち帰って育てる。卵から幼虫は最初、小さなホコリか毛くずにしか見えない。黒くてちょっとだけ白い斑点がある。まるで上空から落ちてきた鳥の糞である。

実際、幼虫は鳥の糞に擬態して（ふりをして）身を守っているらしい。その後、脱皮を二回すると緑色にストライプが入ったデザインに変身する。そのあともせっせと葉っぱを食べ、やがて蛹になり、そのまま二週間ほどするとそこから優美な蝶がまろびでてくる。これを夏空に放つ。こんなに劇的な生命の変化《へんげ》が他にあるだろうか。宇宙人がやってきたとしよう。幼虫と蝶を並べて見て、それが同じ生物の異なる姿だとはにわかには信じられないはずだ。しかしＤＮＡを調べてみると、全く同じで、確かに同一の生物なのである。

そのアゲハチョウ。今年（二〇一八年）はこの異常な酷暑のせいか、いくら探しても、全然、卵が産みつけられていないのだ。母さん、僕のあの蝶たちはどこへいってしまったのでしょうか。

ええ、夏、いつも坂道を横切ってやってきたあのアゲハチョウですよ……。そんな風にさびしく思っていたところ、別の楽しみを見つけた。

ベランダの隅にアシナガバチが巣を作り始めたのだ。蜂＝刺される＝危ない＝駆除、と短絡してはいけません。まずは遠巻きに観察してみよう。アシナガバチはスズメバチほど獰猛ではないから、好戦的に攻撃してくることはまずない。巣は、シャワーヘッドみたいに、下向きのお椀型。規則正しい六角形が整列している。蜂の巣が六角形なのには合理的な理由がある。一点から壁を作り始めた時、四角や三角の巣穴を作ろうとすれば、壁は四方向、六方向に伸ばさなければならない。三方向に均等に壁を伸ばせば、それがつながって六角形の巣ができる。実は空間を埋めるのに、六角形はいちばんシンプルな形なのだ。

巣の表面で多数の働きバチが忙しく世話をしている。巣穴に幼虫や蛹を格納して、そこに白い蓋をかぶせる。アシナガバチは肉食で、野外で他の虫（蝶の幼虫やカメムシなど）を狩って運んでくる。戻ってくる蜂と飛び出していく蜂。しかしよくみるとこっそりサボっている奴がいるではないか！　シャワーヘッドの上の壁側に死角があり、そこにいる数匹の蜂はうろうろしているだけで何もしていない。まるで体育館の裏にたまってタバコを吸っている不良学生みたいだ。よし、ちょっとスマホで記録映像を撮影してやろう。

蜂といえば、この夏、何冊か興味深い本を読みました。ひとつは恩田陸のベストセラー『蜜蜂と遠雷』。既読の方も多いと思うが、ピアノコンテストに挑戦する若者たちの群像劇。主人公の一人は移動養蜂家の息子。遠雷は、遥か彼方から鳴り響き心を震わせる音楽の隠喩。ピアノ曲を文章に転化する繊細な筆致がすばらしい。

それから世界中で話題となっているマヤ・ルンデ『蜜蜂』。蜂が絶滅してしまった近未来の世界と、現在、過去、三つの時間軸が交錯する大作。行方不明になった中国の少年を軸に物語が進むのでミステリーともいえる。この小説にはネタ本があり、それは蜂の失踪事件を追ったルポルタージュ『ハチはなぜ大量死したのか』。人間による環境汚染が蜂の帰巣本能を狂わせることを告発した秀作。現代版〝沈黙の春〟。

こうして眺めると、蜂は、あるときは世界を寿《ことほ》ぐ音符の象徴となり、また別のときは、未来の危機を予感させる警告音にもなっているのだ。その羽音に耳を澄ませなければならない。


（二〇一八・八・三〇）

マーフィーの法則

何かを始めることはたやすいのだが、その何かを終えることはなかなかに難しい。これを（自らも）痛感するのは、釣りのときである。

釣り場につくと、仕掛けを竿に結んだり、針にエサをつけるのももどかしくいそいそと釣り始めるのだが、日も傾き、そろそろ終えねばならない段になると――これを納竿《のうかん》という。釣り竿をしまうこと――かえってあきらめがつきにくい。特に、魚信がなく、釣果が薄いときは、もう少し粘れば、あと十五分待てば、すごい大物がかかるかもしれないと思えて、なかなか踏ん切りがつかないのである。

これが虫採りの場合、さらに困難な決断を迫られることになる。福岡ハカセは子どもの頃から昆虫オタクだったので、よく採集旅行に行った。特に美麗なアゲハチョウ類を追っていたのだが、蝶は魚以上に気まぐれである。まずその蝶のやってくる場所を探さなくてはならない。

幼虫の食草があるところ、あるいは吸蜜にやってくる場所がポイントになるのだが、蝶によって選り好みがあり、どんな花にでも飛来するわけではない。そして、風向きや日照、気温、時間によって出現したりしなかったり（しない方が圧倒的に多い）。

ハカセが敬愛した生物学者・故日高敏隆が言っていたように、蝶には蝶が飛ぶ固有の回廊、つまり蝶道があるのだ。そして蝶採りにはマーフィーの法則に似た皮肉なジンクスがある。油断しているときに限って――たとえば、さてここらで一服してお弁当でも食べるか、と腰をおろしたその瞬間――蝶は決まってこつ然とやってくるのだ。そして決定的なのが納竿した直後である（この場合の納竿は虫採り網用の多段式グラスロッドを収納したとき、という意味）。もう今日はダメそうだな、また今度、再挑戦しよう。そう思って竿をしまいかけたその瞬間、蝶は、私を見下ろすかのように悠然とやってくる。

あるとき蝶を探す旅に出た。それはとある離島で、そこにしか棲息しない大型希少種を探しに来たのだった。その蝶は少年の頃からのあこがれで、一度はホンモノが飛ぶ姿を見たかったのだ。島を一周して蝶がいそうな場所を見つけた。なだらかな斜面で日当たりのよい開けた草地。周りは森林でその際に蝶が好む花がちらほらと咲いている。絶好のポイントだ。そこで蝶を待った。果たせるかな、夕方近くになって一頭の蝶が梢の近くを横切って飛んできたのが見えた。黒い翅と鮮やかな斑紋。まちがいない。あの蝶だ。胸が高鳴った。やっぱりここが蝶道なのだ。しかし蝶は高い空へ飛び去ったまままもう戻ってこなかった。よし明日もう一日あるので再度来てみよう。

あくる日一日じっと待った。雲は次々と流れていくが蝶はなかなかこない。だんだん太陽が傾いてきた。もう無理かなあ。自然はそう簡単に扉を開いてはくれないから。まあ一瞬とはいえ姿を見たし、よしとするか。しかたがない。あきらめて竿をしまいかけた。でもそのときふとあのマーフィーの法則を思い出した。そうだ。納竿すると決まってやってくるのだ。

私はそっと祈った。神さま、もう一度だけチャンスをください。そのときだった。蝶がすぐ目の前にひらりと飛んできた。腕を思い切り伸ばして夢中で竿を振った。捕虫網が蝶の軌跡を追って青空に円を描いた。蝶の姿が空中から消え、かわりに地面に伏せた白いネットの中で翅がばたついていた。採れた！　心臓が口から飛び出すような興奮とはまさにこのことだ。

震えながらしばしその色と優美な形に見とれた。間近でじっくり観察し、何枚もの写真に収めた。虫を殺して標本を作ることはもうずいぶん前にやめてしまったので、そのあとそっと蝶を空に放った。大人になっても奇跡は起こる。

（二〇一九・七・一八）

上野で「昆活」するの記

上野の国立科学博物館、通称「科博」に出かけた。特別展「昆虫」を見学するためだ。メインポスターは、香川照之が、外国産カブトムシと虫とり網を手に、田舎道で大見得を切っている、というもの。香川さん、今や、熱烈なる昆虫愛キャラクターとしてすっかり有名になりました。名づけて「昆活マイスター」。

昆活って？　それはおいおい説明するとして、上野駅公園口から国立西洋美術館の横を抜けていく。ル・コルビュジエ作のモダンな建物の中に、密かにフェルメールの「聖女プラクセデス」が展示されていることを思うと、ついふらふらと立ち寄りたくなるが、それは今日はがまんがまん。紅色の衣をまとった聖女は血塗られた十字架を手に謎めいた表情で佇んでいる。空は深い青に包まれている。フェルメールの初期作で迫力がある。みなさんもぜひ行ってみてください。

さてさて昆虫博。科博に向かう道には大きなクスノキの並木がうわっており、さっそくアオスジアゲハが忙しく舞っている。と思えば、向こう側から悠然とクロアゲハが飛来してきた。われわれ虫オタクたるもの、視界の隅にちょっとでも動きがあると瞬時に蝶が判別できてしまうのだ。昆虫展に向けて、君たちも祝《ほ》いでくれているんだね。

入り口につくと、夏も終わりだというのに大行列。入館に一時間待ち！　ようやく会場に入ると中は子どもたちで満員。あちこちから興奮した歓声が聞こえてくる。それもそのはず。大型の昆虫模型。３Ｄ画像。それから圧巻ともいえる標本箱の大伽藍。外国産の大型クワガタムシや美麗なトリバネアゲハ、そして重要文化財級の超お宝、ヤンバルテナガコガネのホロタイプ標本などが鎮座しているのだ。少年たちはガラスに張り付くように接近して必死に写真を撮っていた。

それから「Ｇの部屋」。Ｇとはゴキブリのｇ。世界中のゴキブリが生態展示されている。みんなの嫌われ者ゴキブリだがそれは濡れ衣。カタログによれば「ゴキブリがたくさん出る家の住人は、自身の好きな環境がゴキブリと同じということ」と記されている。大人がキャーと騒ぐので、子どももキャーと騒ぐようになる、とも。実は、ゴキブリは生命史の大先輩、生態系の中で分解者として重要な役割を果たしてきた。もしゴキブリがいなくなったら地球の循環、動的平衡は成り立たなくなってしまう。もっとゴキブリに愛を。

福岡ハカセのお役目はもうひとつ。科博の日本館講堂で「私の昆活」と題したスピーチを行うこと。この講堂は昭和初期に作られた由緒ある場所。昆活とは、虫に親しむことによって自然や環境に対する意識を高めること、科学者的なマインドを養うこと。私は物心ついたときにはもう虫オタクになっていた。それは虫の色彩やフォルムの妙、つまり自然が創り出したデザインに魅了されたからだ。そして科博にも何度も通った。だからここはハカセの原点。

もうひとりの演者は、科博の野村周平さん。この人は筋金入りの昆虫学者で、ハネカクシという小さな虫の専門家。もう三百種以上も新種を発見したそうな。すごい。佐賀の田舎で虫とりを始め、それがそのまま職業になった幸せな人。

それから科博の林良博館長を交えてトークセッション。館長いわく、日本人は昔から「腹の虫」「虫の知らせ」「虫が好かない」のような表現にあるとおり、小さな命の作用にリスペクトを払ってきたと。少年少女たちは小さいうちは自然に興味を持つのに、いつの間にかそれを忘れて、バーチャルな世界に心を奪われてしまう。

でも私たちの生命は自然そのもの。いつ生まれいつ死ぬか誰にもわからない。今を生きるしかない。昆虫の姿を見ているとそれがよくわかる。みなさん、ぜひ昆活を。

（二〇一八・一〇・一八）

少子化の真の理由

コロナ禍による巣ごもり生活。ハカセにとっても、通勤や外出のための時間が節約され、会議や寄り合いも簡素化（しかもみんな時間に正確、さっと集まり、さっと終わる）、その分、普段なかなか読めなかった本を開くことができたり、執筆のために集中する時間が増えたことは、不幸中の幸いと言えるかもしれない。

知人・友人に「何かよい面、ありましたか」と聞いてみると、ある人がこんなことを話してくれた。「ええ。実は、〝あつ森〟にハマってしまいまして……とてもよくできているんですよ。そうそう、ハカセが大好きなルリボシカミキリも登場します」

〝あつ森〟とは、「あつまれ　どうぶつの森」というNintendo Switchのゲーム。無人島に移住して、自分の家を建てたり、開墾したり、虫や魚を採集して博物館に寄贈してコレクションを増やしたりという、ほのぼのしたゲームだ。これがちょうど、巣ごもりを余儀なくされた人たちの心に刺さり、世界中で大ヒットしているという。

ルリボシカミキリは、あざやかな青に長い触角の優美な甲虫で、ハカセの一番のお気に入りのムシ。本のタイトルにまでしてしまったのだが、〝あつ森〟の中で、なんとこれが採集できるという。しかも、採集するると、ちょっとしたうんちくを聞くことができて、「この色は生きている時だけ。死ぬと体色が赤かっ色になってしまうため標本にするには向いていません」などと教えてくれるそうな。いやいや、なかなかわかっているではありませんか。そのとおりなんです。

他にも、アレキサンドラトリバネアゲハとか、オウゴンオニクワガタとか、虫オタクしか知らないような珍品もいるという。さらに、交配によって青いバラを育種するとか、シーラカンスを捕獲に行くとか……これ、開発者は相当、生物学好きのようですね。

同時に、この話を聞いて、ハカセにはわかったような気がした。少子化の真の理由が、である。このところ、ハカセのキーワードは、〝ピュシス対ロゴス〟である。いずれもギリシャ哲学の言葉で、ピュシスとは本来の、ありのままの自然のこと。一方、ロゴスというのは脳が作り出したフィクション、あるいは論理や言葉のこと。

われわれホモ・サピエンスは、ロゴスを発明したことによって、ピュシスを制御し、アンダー・コントロールに置いた。これにはよい面がたくさんあった。ピュシスは、残酷で冷徹で暴力的である。それを相対化し、個人の自由や人権を理念として言語化した。しかし、ピュシスとしての生命をすべてロゴスで管理することはできない。生と死、病、生理、排泄……こういったピュシスの実相は、見て見ぬふりをした。あるいはタブーとして隠蔽した。今回のコロナ禍もまたピュシスとしての自然の不意の顕れであり、それを前にロゴスは右往左往するしかない。

とはいえ、都市化された私たちの生活は、いやおうなくロゴス万能主義の道を邁進している。

ＡＩやＩｏＴはその極めつきの象徴だ。

山深い森の中に分け入り、苦労してようやく念願のルリボシカミキリの青に触れるかわりに、今の少年少女たちはネットの中の森で虫を知る。おそらくホンモノには一生会うことがない。つまり、ピュシスを感じることなく、ロゴスで満足できる。

生物にとって最も端的なピュシスは、なんと言っても、性と生殖である。しかし、最後に残されたこの部分でさえ、私たちは今やロゴスに委ねようとしている。絵、写真、映像、文章……こういったロゴスだけで、性的に興奮し、自己満足できるのは、ロゴス化された脳を持つ私たちホモ・サピエンスだけである。他の生物にエロ写真はない。私たちのピュシスは、私たちが発明したロゴスによって滅ぼされようとしているのである。

（二〇二〇・七・三〇）

原点

ハカセは自然観察や昆虫採集に出かけることが多い。アウトドアウエアは上も下も靴もだいたいモンベル製。軽くて、通気性にすぐれ、汗をかいても膝に貼りついたりすることもなく快適だ。ショップ会員にもなっているのだが、カタログに、社長の辰野勇さんがこんなことを書いているのを読んでちょっとじんときた。

彼は今年（二〇一九年）の七月、激しい高山病に苦しみながらマッターホルンの山頂に立った。実に五十年ぶり。五十年前の一九六九年、彼は、アイガー北壁とマッターホルン北壁に挑み、登攀に連続成功した。

「頂上から眺めたあの景色を今一度、この目で確かめたかった。（中略）半世紀前の私の人生の『原点』に戻った錯覚さえ憶えた」

いいねえ。この「原点」という言葉がすばらしい。というのも、ハカセもちょうど彼がマッターホルンに登っていたこの夏、全く別の場所で自分の「原点」を確かめていたからだ。ただし、ハカセの原点は、辰野さんほど華々しい達成ではない。もっとずっとささやかな体験だった。

少年の頃からずっと憧れ続けていた大型の美麗なアゲハチョウ、コウトウキシタアゲハをこの目で確かめるため、台湾の南に位置する孤島、紅頭嶼《こうとうしょ》（現在名・蘭嶼《らんしょ》）という場所にはるばるでかけたのだった。この蝶は優美な黒い前翅と鮮やかな黄色の下翅をしている。その下翅は特殊な表面構造を持っており、角度によって真珠色にも、緑色にも見えるという。こんな蝶は他にはいない。図鑑にはそう書かれていた。私は、生きて飛翔しているこの蝶の輝きをひと目だけでも見たかった。

「原点」とは何か。それは私たちがまだ若かったあるとき、自然の精妙さや美しさ、あるいは地球の広がりや奥行きを発見し、自分が確かに世界とつながっていることを実感した、そのときの陶酔に似た感覚のことだ。生きていくための支点を見つけた瞬間といってもよい。

それは辰野さんにとってはマッターホルンの頂上から見渡した、宇宙に繋がる全天空の青だっただろうし、私の場合は、蠱惑《こわく》的に揺らめく蝶の翅の輝きの予感だった。

台湾本島と紅頭嶼とのあいだには早い海流が流れており、来訪者の行く手を拒む。私たちの小舟は激しい波に翻弄され、ようやく島の港についたときには熱帯特有の夕立が降りしきっていた。蝶が見られるような状況では全くなかった。翌日のかすかな晴れ間に私は島の山道や林間をさまよったが蝶はどこにもいない。三日目、もうすぐ帰路につかねばならないときに奇跡的な恩寵が訪れた。全く傷のない（蛹から羽化したばかりと思われる）大きなコウトウキシタアゲハがゆっくりと目の前に舞い降りてきたのだ。私は、黄色い後翅が斜めになったとき、それがはっきり輝く緑に変化するのを見た。

私たちは（つまりハカセくらいの壮年になった我々は）今こそ自分の「原点」に立ち戻り、そのみずみずしい感触を思い出すべきだと思う。それは感傷や懐古のためではない。これからをもう一度生き直すためだ。人生は長い。令和の人生百年時代。そのためにも自分の出発点を今一度確かめた方がよい。私は何を美しいと感じ、何を求めて生きて来たのかを。

葛飾北斎は、その代表作、「富嶽三十六景」を七十代でなした。ピエト・モンドリアンだって、「勝利のブギウギ」を描いたのは七十歳。オズワルド・エイブリーが、ＤＮＡの秘密を発見したのは六十代後半。彼らは自分の原点を忘れなかった。むろん誰もが北斎やモンドリアンになれるわけではない。けれど、私たちは皆、もう一花、咲かせることができるはずなのだ。

かくいうハカセもまた、コウトウキシタアゲハの羽ばたきに鼓舞されたからには、このあと『生物と無生物のあいだ』を超えるような何かを書かなくてはならない。

（二〇一九・一一・二一）

第7章　君たちはどう学ぶか

なりたい職業、学者・博士

年末年始を過ごしたNY・ロックフェラー大学だより。当地では、お正月・松の内はのんびり、みたいな感覚は皆無。一月一日はさすがに休日だが、みんな二日から働き出す。三日は、ラボのハリーナさんの送別会。彼女は、ハカセの所属する研究室の秘書。勤続二十七年。まあ言ってみれば寮母さん役。ヒラリー・クリントンに似ている。といっても、エリート風の、やな感じはまったくない。

教授のスケジューリング、ラボ予算の切り盛り、事務仕事から研究室員のよろず相談役まで一手に引き受けていた。客員教授として所属しているハカセも学内の手続きなどたいへんお世話になった。「ほんとはもうちょっと早くリタイアしたいと思っていたんだけれど、ついつい長引いちゃったのよ」

うちの大学には教員・職員ともに「定年」の決まりはない。人種、国籍、性差はもちろんのこと、年齢で職業上の差別をすることを禁じているのだ。だからハリーナさんも自分で潮時を決めた。「リタイア後は、この寒いNYを離れて、アリゾナに行くつもり」。ちゃんとセカンドライフのプランも考えているんですね。結局、ハリーナさんのプライベートについては何も知らないままだなあ。そういうことをあれこれ聞かないのもNY流。そうそう一度だけお国は？　と聞いたっけ。「幼い頃、両親に連れられてウクライナからやってきたのよ」「ロシア語、話せます？」。ペラペラペラペラと発音してみせてくれた。もちろん英語も完璧である。

ラボのメンバーで、大学のファカルティクラブのラウンジに集まる。大きな四角いチョコレート・ケーキが用意されている。"Halina, We will miss you !"と書かれている。これまでほんとうにどうもありがとう。そしておつかれさま。アリゾナでの新生活が楽しいものになりますように。

ついで数日後、もうひとつのパーティに出席。こちらはロックフェラー大学でポスドクをしていた日本人研究者Yさんの送別会。

そういえば、第一生命が二〇一八年一月五日に発表したアンケート調査によれば、男子が大人になったらなりたい職業の第一位は「学者か博士」という結果が出たそうな（ちなみに、二位、三位は、野球選手、サッカー選手。女子は、食べ物屋さん、看護師さん、保育園・幼稚園の先生の順）。

言っておきますが、学者・博士は一人前になるのにとても時間がかかります。大学の学部に四年、そのあと大学院に五年。ここでようやく博士になることができるのだが、博士は単なるライセンス。まだまだ食えない。でも年齢はもう二十代後半。このあとの修業期間がポスドク。ポスドクは一応、なけなしの給料が支払われるのだが、自分の好きな研究が自由にできるわけではなく、雇い主であるボスのプロジェクトを推進するのが仕事。長時間労働、プレッシャー大、もちろん残業代などはない。いわばブラック企業だが、これもキャリアの一過程。

Yさんはポスドクとして寒いNYで何冬にもわたって日夜研究を続け、成果を出し、このほど晴れて独り立ちすることになった。中西部のある州の研究所のポストに応募し、見事採用されることになったのだ。これでようやく一人前の研究者になったといえる。

でもここからがまたたいへん。特にアメリカでは、言葉の壁を乗り越えて研究費を獲得し、今度は自分のために働いてくれるポスドクを探し、彼らに給料を払い、研究を進めなければならない。成果がでないことにはカネもヒトも集まらない。

だから福岡ハカセとしては「子どもたちよ、学者になろう」というよりも「学者はつらいよ」と言いたい。稼ぎもよくないし、発見には運もつきもの。それでも好きなことを好きであり続け、それが職業でもある、ということはすばらしく自由なことです。

（二〇一八・二・一）

なぜ科学の力が弱まるのか

福岡ハカセがハカセになったばかりの頃、いさんでアメリカに研究修業に出かけた。理科系では博士号を取得するのは「運転免許証」をとるようなもの。これでやっと路上に出られるのだ。が、クルマと同じ、わかばマークつきの初心者運転はおぼつかない。それゆえ、「ポスドク」という修業期間がある。博士研究員として実地に訓練を積むのである。

まだメイルもネットもない時代のこと。下手な鉄砲も数撃ちゃ当たるで、応募の手紙をたくさん書いた。ハカセはたまたまニューヨークのロックフェラー大学の先生に拾ってもらった。ところが現在の理系学生たちには、あまり海外を目指す気運がないそうな。確かに実験装置や研究手法のレベルで国内外の差はもうほとんどなく、日本でもポスドク職はたくさんあるので、わざわざ苦労して遠くへ行かなくてもいい、ということらしい。それから、いったん日本を出ると、そのあと就職のコネが切れてしまう、といった内向きの理由もあるようだ。

ただ、実際のところ、ポスドク時代は研究者にとって人生でいちばん不安定な時期であることは確かだ。博士号をとるまでは、二十代後半なのにまだ稼げないのは事実だが、大学院生であるという身分はしっかりしている。学割も利くし、奨学金などもある。ひるがえってポスドクは、不定期の非正規雇用。完全裁量労働制。細胞や実験動物などナマモノが相手だから、就労時間規定なし、残業代なし、ボーナスなし、土日や有給休暇の取り決めもなし。そして超安給料。いまで言う「働き方改革」の問題点が全部集約されているようなものだった。ハカセのときで、年ぎめ給与は二百万円少々。アパート代を払うとほとんど残らない（ただしこれは三十年前の話。今は二倍程度には上がっているが、物価も上がっている）。

ポスドクの期間は、三〜四年が目安だが、だいたいは一年毎更新で、ボスとそりが合わなかったり、成果が出なかったりしたら、クビになる。ボスの研究資金が途絶えて、雇い止めになることだってある。そしてなによりの不安は、その先の身分に何の約束も保証もない、ということである。ポスドク期間にデータを出し、成果を上げ、論文をかきあげて、その実績が次のステップへのパスポートとなる。米国の場合、研究職の求人はかなり多い。大学の助教、講師、准教授といったポストや、研究所のスタッフ、あるいはベンチャーの技術者に応募し、面接を受け、プレゼンをして採用が決まる。もちろん有名大学のポジションは激烈な競争があるのだが、米国のよいところは流動性があること。そしてなによりも、ポスドクのあとは、独立した研究者になれることである。小なりとはいえ一家の主だ。

日本の場合、ここに問題点がある。九〇年代から大学院重点化で院生を増やし、二〇〇〇年代からは、選択と集中型の予算配分で、拠点大学にポスドクを増やしたまではいいのだが、その先の研究職が極端に少ないままだった。助教などのポジションも任期制が多く不安定、しかも独立した研究職ではなく、日本特有の講座制（いわゆる〝白い巨塔〟。ボス教授の下、准教授、助教などスタッフはみんな家来扱い）の支配下にある。これではポスドクが延長されたようなもの。自分で自由な研究テーマを持つことができない。

かくして若い才能は貴重な三十代、四十代を疲弊のうちに過ごすことになる。諸外国と比べ、論文数や特許出願数で見る日本の科学・技術の力がだんだん弱まっていることが指摘されていることの背景には、過去、三十年にわたる科学振興政策の問題点が横たわっているのだ。ほんとうに意欲的な若手研究者はますます海外を目指すことになる。

（二〇一八・八・九）

最後の講義

すこし前のこと。迷走する台風が東から西へ、東京を横切った日の午後、福岡ハカセは「最後の講義」を行った。えっ、福岡さん、大学を辞めるんですか。いえ、そうではありません。定年退職までにはもう少しあります。この「最後の講義」は、NHK・BSの番組企画なんです。明日、もしこの世から消えてしまうとしたら、あなたは学生に何を伝えますか。そんな遺言のような白熱講義をしてほしいとのご依頼なのであった。聴講生は、ネットで公募した熱心な学生たち百名以上。いろいろな大学・学部から集まってくれた。予備校生、高校生、それからもう少し年かさの人たちもいる。

最後の授業といえば、福岡ハカセ世代にとっては、なんと言っても国語の教科書に出てきたアメル先生である。フランス領アルザス地方の学校に通う少年フランツは学校ぎらい。今日も村の学校に遅刻した。しかしアメル先生は怒らない。なぜか教室の後方には、正装した村のお歴々が座っている。アメル先生はおもむろに話しはじめる。

「私がここでフランス語の授業をするのはこれが最後です。戦争でフランスが負けたため、アルザス地方はドイツ領となり、ドイツ語しか教えてはいけなくなりました。これが、私のフランス語の、最後の授業です」
フランツ少年はショックを受ける。アメル先生は静かに語りかけた。「フランス語は世界で一番美しく、一番明晰な言葉です。そして、ある民族が奴隷となっても、その国語を保っている限り、牢獄の鍵を握っているようなものなのです」。終礼の鐘がなると、アメル先生は静かに黒板に向き直り、「フランス万歳！」と書いて、最後の授業を終えた。なんと感動的なシーンだろうか。

果たして、福岡ハカセに、アメル先生のような最後の講義ができるだろうか。到底できそうもない。ならば、最後のところだけ拝借して「生命、バンザイ！」と締めよう。そうディレクターに相談したら、いやあ、福岡さん、それは今の若い人に通じないかもしれませんよ、と注意された。なんでもこの話は平成世代の教科書にはもう掲載されていないのだそうな。

調べてみると事実だった。それどころか、この話は極めて政治色の強い物語なのであった。そもそも国境に近いアルザス地方は古くから、フランスとドイツの領土的野心の犠牲者であり、もともとドイツ系の人々が暮らしていた場所をフランスが編入、それをドイツが普仏戦争で奪い返したときに、フランスの愛国心を鼓舞するため書かれた。この物語をするっと読むと、まるでフランス人がドイツ語を占領軍に押し付けられるかのように読めるが、そもそもフランツ少年たちは、ドイツ方言を母語としており、フランス語は学校の授業でのみ習う「外国語」なのだった。

あー、歴史はちゃんと知らないといけません。

さて、福岡ハカセの最後の講義、奇をてらわず、私の試行錯誤の旅路をありのままに話すことにした。生物をミクロな部品に分解していく機械論的な生命観にもとづいて、必死に遺伝子を研究してきたが、それを極めていくと、逆に別の展望が見えてきた。生命は、モノではなくコト。要素よりも関係性。作ることよりも壊すこと。動的なバランスの上に成り立つから、柔軟で、可変的で、適応し、長続きしてきた。これからは、むしろＡＩ的なアルゴリズム思考とは違った、動的平衡の世界観を持つことが重要だ。あとはまかせた！

そうそう、番組の今回のナレーションは、「週刊文春」でもおなじみの阿川佐和子さん。福岡ハカセの人となりを「あるときは養老センセのような思索者、また別のときは林真理子さんみたいなミーハー」と形容してくれた。あ、後段は、好奇心あふれる作家性の持ち主、という意味だと思います。

（二〇一八・九・六）

なぜ勉強しなければならないか

「なぜ勉強しないといけないんですか？」

こんな質問を学生から受けることがある。若い彼ら・彼女らは真剣に疑問に思っているのだ。どうして勉強するのか。社会に出てからほとんど役に立ちそうもないことまでこまごまと。そんなとき、福岡ハカセは決まってこう答えることにしている。「それは〇〇になるためだよ」と。読者の諸兄は〇〇に何が入ると思いますか？

二〇一九年九月七日、オーストリア・リンツにある聖フローリアン修道院で、伝説のピアニスト、グレン・グールドが、彼の名を一躍有名にしたバッハ・ゴルトベルク変奏曲を演奏した。厳粛な佇まいの聖堂にはアーチ状の屋根と円柱が立ち並び、暗い観客席は満席。ステージにはグランドピアノが光っている。静まり返る会場。人々は皆息を呑んで見守る。おもむろにピアノはおなじみのアリアをかなではじめた。まぎれもなく、それは（ハカセを含む世界中のファンが幾度となく聴いたであろう、あの）グールドの演奏だった。

えっ、グールドって亡くなってから三十年以上経つんじゃないの。そう、そのとおり。今、ピアノを弾いているのは、グールドのあらゆる演奏を徹底的に「勉強」したＡＩ。そのＡＩが、ヤマハの特別プロジェクトとしてピアノを自動演奏しているのだ。なので椅子には誰も座っていない（この様子は、ＹｏｕＴｕｂｅで見ることができる。“Dear Glenn”）。後半は、イケメンピアニスト、フランチェスコ・トリスターノ（こちらはホンモノ）とデュオまでしてみせた。

今や、ＡＩは「勉強」さえすれば、なんでもできるようになってきた。囲碁や将棋ならトッププロと互角に戦う。大学入試だって、東大は無理としても、ＭＡＲＣＨならなんとかなる（と言われているらしいが、これはＭＡＲＣＨの一員としてはちょっと心外なこと。まるでＭＡＲＣＨの問題が安易みたいではないですか。そんなことはないですよ。むしろ答え方の形式、択一式か記述式かに差があるからだと思うが、今回はこれ以上絡むのはやめておきます）。人工知能の専門家、レイ・カーツワイルによれば、ほどなくＡＩの能力は、人間の知能と同等の容量に達し、二〇四五年には人間を完全に追い越し独自に思考するようになる。この地点を彼は特異点（シンギュラリティ）と命名した。

ああ、そうですか。ハカセはこの手の話にちょっと食傷気味。確かにＡＩは、膨大な情報を集積し、ビッグデータの中から正解を選んだり、みんなが購入しているものを推薦してくれたりについてはどんどん進化していくことだろう。

でも、ＡＩの「勉強」は知識を貯めるだけでしょ。その中で思考するのがＡＩの限界。人間の「勉強」は知識を貯めて、その中から最適解を選ぶことじゃない。むしろ人間の勉強は自分自身を壊すことに意味がある。当然だと感じてきたこと、あたりまえのルール、知っていると思ってきたこと、そういった一切の常識や既存の知識を壊し、自分自身を作り変えるために勉強が必要なのだ。

生身のからだは一年も経てば、物質レベルでは、全くの〝別人〟になる。動的平衡が分解と合成を繰り返し、生命のあらゆる構成成分を入れ替えてしまうから。久しぶりに会った時の挨拶は「おかわりありませんね」ではなく「おかわりありまくりですね」が正しい。それと同時に、自分自身の精神も作り変えていく必要がある。なぜなら私たちの心はすぐに、右とか左とか上とか下とか、日本とか米国とか、ありとあらゆる既成の言葉に絡め取られてしまうから。そこから脱して、いつも新しい自分を作り出すことが人生で一番大切なことのはず。

なので最初の〇〇にはこう入ります。勉強するのは、自由になるためだと。

（二〇一九・一一・二八）

ＳＴＥＭ夏期講習を体験

ニューヨークに行ったおり、ＳＴＥＭが開催している夏期講習のプログラミング教室を見学した。ＳＴＥＭとは「科学・技術・工学・数学」の頭文字で、米国の将来の理科教育のあり方を考える教育組織のこと。

ハカセが見た教室は初級クラス。小中学生くらいの子が十人ほど。ひとりずつ、ルートという名の教材ロボットが手渡される。これはいうなればお掃除ロボットのルンバの小型軽量版みたいなもの。形や動作もそっくりだ。車輪がついていて直進、後退、回転など自由自在に動き回れる。中央の穴にマーカーを立てると動きに沿って図形を書かせることもできる。

生徒たちはまず、このルートを簡単な課題に沿って動かすプログラムを作ることを学ぶ。たとえば、まっすぐに進んだあと三メートル先にある旗の周りを回って、元の場所にもどってくる、といった課題。プログラムは各自に渡されたｉＰａｄ上で作れるようになっている。ルートのアクション一つずつを示す絵文字を繋いでいく、というものだ。この課題なら、「まっすぐ進む」「そのまま十秒」「停止」「右に九十度回転」「まっすぐ進む」「そのまま一秒」「停止」「右に九十度回転」「そのまま十秒」「停止」とアクションを連続させればよい。ｉＰａｄで作ったプログラムはブルートゥースでルートに送られる。スタートボタンを押すとルートはプログラムのとおりに動く。実際のルートの動きを見て、プログラムを微調整する。旗を大きく回りすぎると時間をロスするので、できるだけ小回りできるようにする。

しばらくみんなが試行錯誤してプログラムを直したあと「では競争！」ということで、先生がストップウオッチを持って、それぞれの生徒がルートを走らせる。「はい、デイビッド、君は24・45秒」「次、マークは……24・67秒、惜しい！」。もう生徒は大騒ぎ。これくらいの年齢だと、競争こそが学習の大きなモチベーションになることを先生もよく知っているのだ。

これがひととおり終わると、次のステップに進む。「まっすぐ進む」という命令は、実はルートの底に二つ付いている車輪を左右均等の速度で回転させるということ。「右に九十度回転」は、右の車輪を止めて、左の車輪だけを一定時間動かすしくみ。左右の車輪の速度は自由に調整することができる。そしてルートの底には、地面に書かれた線やその色を識別するセンサーが五個横並びに取り付けてある。センサーと車輪の動きを連動させるプログラムを書くと、ルートを地面に書いた曲線の上をなぞるように動かすことができる。

中央のセンサーが地面の直線をとらえているあいだは左右均等に車輪を動かす。ルートは線に沿って直進する。でも線が右の方にカーブを描くと、線は中央のセンサーを外れて右のセンサーの範囲に入る。これを感知したら、車輪の動きを変えて、左十：右八くらいの配分にすると、ルートはゆっくり右カーブを描いて曲線に沿って進む。さらに線がより右にカーブを描くと、さらに外側のセンサーが線を捉えることになり、このセンサーが線を捉えたら、車輪の動きを、左十：右五くらいの配分に変更する。するとルートはさらに深い曲線を描いて右カーブするようになる。線が左側に傾くと、今度は左側のセンサーが感知するので、それに応じて、体勢を左カーブに合わせる。で、誰が一番早く、正確に曲線をトレースするプログラムが書けるかを競争！

こちらでは、プログラミングのことを「コーディング」と呼ぶ。コーディングは英語の次に学ぶべき必須言語というのがＳＴＥＭのテーマ。ちなみに講習料は五日コースで九百五十ドル。なかなか。日本の情報教育もうかうかしていられませんね。

（二〇一八・八・二）

ＮＹお受験事情

先日の寒い朝、駅に緊張した面持ちの少年たちとその親と思しき一団がいた。ああ、二月の最初は、都内の私立中学校のお受験のシーズンなんだ。たいへんだね。がんばってね。いまも、つるかめ算とか時計の針が重なる時刻は何時何分でしょう、みたいな問題が出されているのだろうか。

さて、アメリカにもお受験がある。先日、ハカセが拠点にしているニューヨークのアパートのすぐ近くの公立小学校の前に父母たちが集って、何やらデモをしているのを見かけた。手にはプラカード、チラシもくばっているのでもらってみた。そこには、「よりよいテストを！」とか「公平なテストを！」といったスローガンが英語で書き込まれていた。彼らは、ニューヨーク州の共通テストに抗議しているのだ。教育に携わる者として、ハカセもこの際、アメリカの公教育システムについてちょっと勉強してみることにした。

小学校教育にはコモン・コア・ステート・スタンダードという全米共通の指導要領にあたるものがある。これを使うかどうかは州の裁量に任されるのだが、ニューヨーク州はこれを採用して教育を進めている。そして毎年一回、その達成度を測るため、数日をかけて大規模な一斉共通テストが実施される。科目は算数と英語（つまり国語）。中学校は義務教育なので、より好みさえしなければ地域の学校に行けるのだが、しようと思えばより好みすることができ、そこには見えざる序列が存在している。優秀な公立中学校に進学したい場合、願書を出した上で、この共通テストの成績が重要な判断材料になる（独自の入試や面接を課す学校もある）。なので児童や父母は準備に必死になる。

共通テストの成績は、各小学校ごとに公表され、これがまた小学校の格付けを生む。そしてそれが教員の評価にもつながる。なので先生の方もたいへんなプレッシャーとなり、共通テストの直前には対策授業まであるそうな。かくしてこの一斉共通テストは小学校の年間行事の中でも一大事となる。

ただし父母のデモは共通テスト自体に反対しているわけではなく、その内容や運用方法に抗議しているのだった。ここがまたアメリカらしいところなのだが、ニューヨーク州は共通テストの諸業務一切合切をピアソン社という一私企業に丸投げしているのだった。たしかに何十万人規模のテストの作問、採点、集計を毎年やるというのは、もはや学校の先生たちの手には負えない。

そして父母たちが怒っているのは、ピアソン社が作ったこの共通テストが難問奇問すぎて、児童の能力を正しく判定できないと抗議しているのだ。どれどれ、いかほど難しいのかと思ってみてみると（ネットに出ています）、例えば、ある文章をまとめる文を複数の選択肢から選ばせるとか、作者の意図を言い換えさせる、などである。算数の方も基本的な問題ばかり。はて、これが難問？　日本のお受験に比べると、別にどうってことない。米国人は子どもにもっと発信力やプレゼン能力を求めているということか。こういう基礎学力も大事だとハカセは思います。ニューヨーク市の優秀校は勉強熱心なアジア系生徒（といっても日本人じゃなくて中国・韓国系）の比率が高まっているという。

大学入試を含めて、テストを民営化すべし、という声はいずれ日本でも議論になるはず。ちなみにピアソン社の本業は出版。日本と違って米国は少子化していない。人口も移民層を中心にどんどん増えている。そういえばトランプは教育については特に何も言ってないなあ。

（二〇一九・二・二一）

アメリカのメリトクラシー

米国で、大規模な大学不正入試スキャンダルが発覚した。ハリウッドスターや医者、経営者などが子どもを有名大学に合格させるため、多額の裏金を受験ブローカーに支払っていたのである。受験ブローカーはスポーツ推薦枠に関わる大学のコーチなど関係者を買収するなど、さまざまな手練手管を駆使して富裕層の子弟を有名大学に送り込んでいた。

カネによる裏口入試が暗躍するということは、表側の正面入試には驚くほどの激しい競争が存在するということでもある。特に都市部の教育熱にはすさまじいものがある。日本の東大入学者数ランキング上位の常連のひとつに筑波大学付属駒場中・高が挙げられるが、ニューヨークにも筑駒に似た、ある意味では筑駒以上にすごい中高一貫学校がある。それはニューヨーク市立大学ハンター校付属高である。

公立の大学付属校というところは筑駒と同じだが、「以上に」というのは、この学校自体が、公立校にもかかわらず積極的に競争を煽っているからだ。日本ならどんな進学校といえども、受験してくる生徒以外の秀才にまで網を広げることはできない。が、ハンター校はなんとニューヨーク市のすべての秀才に「挑戦状」を出してくるのである。この「挑戦状」、小学校の最終学年

（日本の小学校五年生）に実施されたニューヨーク州の統一学力テストの算数と国語（英語）の得点が両方とも上位十％に入った生徒にだけ送られてくる。ニューヨーク市の統一学力テストはほぼすべての公立小学校で実施されるので、同学年の総生徒数は約六万五千人、このうち「挑戦状」資格者は二千五百人程度になるという。

こんな「挑戦状」（正確には受験招待状）が来れば、ちょっとした秀才なら受けて立とうと思って当然。実際、挑戦状をもらった生徒のうち大多数がハンター校を受験する。子どもたちは厳冬のニューヨークの早朝、ハンター校に集められ入学試験が実施される。科目は算数・国語あわせて約百問、それと小論文。これを三時間缶詰で行う。一問を一、二分以内で解かねばならず、時間配分も自分で考えなければならない。第一にスタミナが要求される。で、合格者はたった百八十名足らず。競争率十四倍。これはハーバード大学の競争率よりも狭き門だ。

秀才の中から秀才を集め、そのまたほんの上澄みだけを選抜し、それをまた競争させて加速させる。アメリカにおける東大入学者数ランキングにあたるのは、ハーバード、イエールなど東海岸アイビーリーグ大学と、スタンフォードなど西海岸の有名校への入学者数である。ハンター校の生徒たちはさらに切磋琢磨してこれらの大学を目指すことになる。これが自由の国アメリカの能力主義＝メリトクラシーの偽らざる姿である。

当然のことながらここには人種のひずみが現れ、それが議論の的にもなる。ハンター校の生徒の大半はアジア系と白人。黒人やヒスパニック系はごく少数である。ニューヨーク市の公立校全体で見ると、今や黒人とヒスパニックは六十七％を占めるが、ハンター校の黒人とヒスパニックはそれぞれ二・二％と六・三％しかいない。これは所得や教育環境の格差の現れだと黒人やヒスパニック系は主張する。アジア系は自分たちがそれだけ一生懸命勉強しているからだと主張する。実際、アジア勢の隆盛は目を見張るものがあり、ハンター校を始め、優秀校の一大勢力を占めるに至っている。白人たちは密かにこれを脅威に感じているに違いない。不正入試スキャンダルの背景にもこんな危機感があると思う。

ちなみにアジア系とは中国、韓国のこと。教育熱心なお母さんたちはタイガーマムと呼ばれている。日本人はハナから蚊帳の外。

（二〇一九・四・一一）

韓国の高校生きたる

韓国の高校生からメイルをもらった。一生懸命書いたあとがありありとわかる英文だった。
「僕は韓国に住む高校一年生、シンと言います。中学生の頃は特に将来の夢もなく、遊んでばかりいましたが、高校に入ってから生物の先生が、福岡さんの『生物と無生物のあいだ』を読めと推薦してくれました。内容は難しく、僕の平凡な頭ではすべてを理解できたわけではありませんが、分子生物学にとても興味がわきました。そして将来の道として自分も研究者か医者になりたいと心に決めました。

韓国も大学入試はとても厳しいのですが、一生懸命勉強してがんばりたいと思います。僕は生物学に興味を持つ友人たちとグループを作り、なぜ細胞はこんなにも小さいのに、私たちの身体はこんなにも大きいのかという問題を議論したり、生物を材料にした実験をしたりしています。福岡さんは僕たちの目標です。福岡さんの本は僕たちに大きな希望を与えてくれました。今度、みんなで日本に行く計画を立てています。お忙しいとは思いますが、五分でいいので会っていただけないでしょうか。大げさなことは何も望んでいません。ただ握手だけでもしていただければうれしいのです」

自分の著書が韓国語に訳されて出版されていることは知っていたが、こんなにも若い読者が読んでくれて純粋な感想を持ってくれているとは思いもよらなかった。著者冥利につきるとはこういうこと。すぐに返事を書いた。「私の本を熱心に読んでくれてどうもありがとう。いつでもお会いできますので、ぜひお話ししましょう。旅程が決まったら連絡してください」

実際、彼らは計画を立てて、冬休みの始まりにやってくることになった。

その間、この勉強グループの生徒の父親からメイルが来た。今度は完璧な日本語である。

「福岡伸一博士、メールでご挨拶させて頂きます。今度お伺いさせて頂く事になった高校一年生の韓国人　シン君の友達のキムの父親　金と申します。シン君から来月博士にお伺いするという話を聞き、その際息子のキムもご一緒させて頂く事になりました。若き学生たちがヴィジョンを持てる様、貴重なお時間をいただき、真にありがとうございます。博士にお会いし、息子が大きく成長する機会になれたらと思っております。真にありがとうございます」

なんとな。こんなに上手に日本語が使える親御さんがいたのか。仕事で日本と関係があるのかもしれない。

さていよいよ当日。待ち合わせ場所の青山学院正門前に総勢七名の高校生諸君がやってきた。みんな真面目そのもの。昨夜、ＬＣＣで羽田に着いたそうな。ウエルカム！　当初は英語でやり取りしようと思っていたのだが、緊張しているだろうから、ハカセのゼミのツテで韓国人留学生に通訳係に来てもらった。こういう時わが校は人材豊富なので助かる。まずはカフェテリアに行って、みんなでランチを食べよう。それぞれ青学名物の油淋鶏《ユーリンチー》定食やカレー、ラーメンなどを注文。えーと、君が最初にメイルをくれたシン君だね。それからキム君は？　君のお父さんはどうして日本語知っているの？「グーグル先生です」「あああ」

昼食後、大学内を案内し、それから教室でミニ講義を行った。ヒト以外の生物はみな、種の保存が唯一無二の目的で、基本的に個体はそのためのツールでしかないのだけれど、ヒトだけは個体の生命の価値に気づいて、それを最大限尊重する道を選んだ。逆に、個と種（ホモ・サピエンス）のあいだに、国とか民族といった別の帰属システムを作り出してしまったのでややこしくなった。でも、君たち若い世代がそんな問題を少しずつ溶かしていってくれることを期待しています。

（二〇一九・一・二四）

コインゲーム必勝法

次のようなゲームを考えてみよう。一辺30センチの正方形の板がある。将棋盤みたいな感じ。ただしマス目はない。これを真ん中に挟んで、あなたとハカセが対戦する。ルールは簡単。互いに百円玉を盤上に置いていく。百円玉は触れ合ってもよいが、重ねて置くことはできない。また、盤からはみ出したり、すでに置いてある百円玉を押しのけたりしてもいけない。こうして盤上の空白を互いに埋めていき、最後に置けなくなった方が負け。勝った方は百円玉を総取りできる。

ちなみに百円玉の直径は、22・6ミリ。30センチの板の一辺に13枚置くことができる。だから盤上にきっちり百円玉を並べたら、13×13＝169で、しめて一万六千九百円。さあ、ハカセと勝負してみませんか。……と、かようにハカセが余裕なのは、必勝法を知っているから。

オセロみたいに先に四隅を取る？　いいえ、違います。別に挟んで裏返すわけじゃないから。実は、この問題、数学オリンピックの予選の練習問題として出されたもの。百円玉というのはハカセが勝手にアレンジしたのだが、本来は、正方形の板はどんな大きさでもよく、並べるのは十円玉でも、25セントコインでもなんでもいい。

さて、数学オリンピックとは高校生を中心とした数学問題の解答競技会。もともとは旧・ソビエトなどの共産圏で才能ある青少年を発掘するため始められた（一九五九年が第一回）。今では全世界に広がり、数学に自信のある秀才たちが競い合う。各国から六人が選抜され（予選、合宿、最終選考とハードルがある）、二日にわたって計六問の難問を解く。

採点結果で順位づけされ、個人の金メダル（上位1／12）、銀メダル（次の2／12）、銅メダル（次の3／12）、そして国別に団体集計がある。このところの常勝国は、中国、韓国、アメリカだが、北朝鮮、タイ、ベトナム、台湾、シンガポールなど東アジア勢も健闘。日本もがんばっていて、二〇〇九年大会二位、二〇一四年大会五位。

数学オリンピック経験者の中からホンモノの数学者になった人物も多い。中でもハカセのヒーローは、マリアム・ミルザハニ。一九七七年、イランに生まれた彼女は（ヒーローの女性形はヒロインだが、ヒーローと呼ぶにふさわしい）、数学オリンピックでその才能を見いだされた。一九九四年、九五年と二年連続金メダル。二年目は満点だった。のちにハーバードの大学院に留学、数学者をめざした。

そして二〇一四年、リーマン幾何学における達成に対して、数学界のノーベル賞として名高いフィールズ賞を受賞。過去、一度も女性が受賞したことはなかったが、初めて見えざる天井を破った。若くしてスタンフォード大の教授となって、次世代の天才を育てようとした矢先だった。運命のなんと残酷なこと。乳がんに侵され、二〇一七年、四十歳でこの世を去った。これを夭折と言わずして何といおう。

それにつけてもアメリカの懐の深いところは、こういう才能を受け入れて、それを開花させるところ。ミルザハニも、ハーバードでよき師（フィールズ賞受賞数学者のカーティス・マクマレン）の指導を受けてこそ輝いた。ビザの発給を制限しているトランプはこういう移民たちがアメリカの国力を支えていることをたぶん知らないだろうね。

ところで最初の問題の必勝法。まず先手を取る。そして真ん中にコインを置く。ついで相手が置いた場所の点対称になる位置に置く。真ん中以外、点対称の位置は必ず空いているので、こちらは置ける。そして最後は相手の置く場所がなくなる。もちろん、立てて置くとかはルール違反ですからね！（その場合も、点対称の位置に立てて置けばいいのですけど）それと賭けてやるのはまずいかも。

（二〇二〇・一〇・八）

次の問いに答えよ

先日、朝日新聞の朝刊を何気なく開いてみると、別刷りが差し込まれていた。「都立高校入試問題と解答」。このところ大学の入試監督やら会議やらでアワアワしていたのだが、高校でも入試シーズンなんですね。最近は、どの都立高校も都内どこからでも受験できて、名門校が復活してきたり、中高一貫制の公立学校に人気が出てきたらしいですね。東大合格者数でランキングするのは、あまり好きじゃないけれど、一時は低迷していたかつてのナンバーワン、日比谷高校は最近では十位前後とがぜん順位を上げてきている。

やはりこういう面では、リベラル志向よりも保守志向の方がいいのかもしれない。あ、念の為言っておきますが、ここでいうリベラル・保守というのは政党や左翼、右翼という意味ではなく、思考本来のあり方のことです。つまり、リベラルとはどこまでも人間の理性に重きをおく立場。理性的に考えると、学校や学区に格差ができるのは好ましくないから、それを平準化するべく、人為的な振り分け制度を設計すべし、という思想。

それに対して、ハカセが思うところの保守とは、人間の理性はしばしば先走りすぎたり、理想を追い求めすぎるので、理性の暴走には注意して、むしろ、長い時間のなかで選ばれてきた伝統や習慣に重きをおく立場。つまりある程度、学校ごとに歴史やカラーがあり、学校間で競争や序列づけができるのは自然なことで、それぞれ自分の能力に応じた学校を選べばよい。

さてさて、きょうびの高校受験はどんな問題を解かせているのか、と、一ページ目の国語に目を落とす。次の文章を読んで、あとの各問に答えよ。〝宇宙の大原則に「エントロピー増大の法則」がある。エントロピーとは乱雑さのことであり、この世界のすべてのものごとは、時間の経過とともにエントロピーが増大する方向に進む……〟。

ふむふむ、どこかで聞いたような話だなあ、と思って読み進めていくと、なんとこれはハカセ自身の文章であった！（『動的平衡3』からの引用）おそれ入谷の鬼子母神。ハカセは何も聞いていないし、事前に了承もしていない。でも、それでいいのだ。入試問題のような公益目的の引用は、著者の許諾は必要ないし、前もって知らせることもない（入試問題だから当然です。いくらハカセの口が固いとはいえ、うっかり喋っちゃうかもしれませんからねえ）。もちろん著作権使用料も発生しない。問題に使っていただけることが、光栄だということですね。

で、問いは？

〝動的平衡を基本原理として、（大きく）変わらないために（つねに小さく）変わり続けてきたからだ。とあるが（中略）どういうことか。次のうちから最も適切なものを選べ〟。アからエの四択。

あれ？　なんだかどれもそれなりによさそうだなあ……著者をも惑わすというのは良問ってこ

とです。

ところで、ハカセは入試問題作成者のひそかな作為を発見しましたぞ。原典『動的平衡3』で、エントロピー増大の例として、ハカセは、「壮麗豪華な白亜の神殿も年月とともに風化・崩壊し、フェルメールの傑作でさえも退色し、機器も損耗する。整理整頓してあった机もあっという間にファイルや書類の山と化す。いかにすてきな恋愛もまもなく色褪せる」と書いておいた。ところがである。都立高入試問題では、最後の恋愛の例だけが、実にさりげなく削除されているのだった。

引用文の勝手な改変は、論文や書物では絶対やってはいけないことなのだが、入試問題では例外で、それが許されている。にしてもですよ。いまどきの高校受験生の目にこの一文を触れないようにしたところで、一体、どんな意味があるというのですか。

問い。この一文を削除した作問者の意図を五十字以内で記せ。

（二〇二〇・三・一二）

コンフリクト・オブ・インタレスト

公的な大学や機関の研究者が守るべき倫理のひとつにコンフリクト・オブ・インタレストに注意を払うべし、という掟がある。

論文を書くときには「この研究にはコンフリクト・オブ・インタレストはありません」と表明する必要がある。もし、何らかのコンフリクト・オブ・インタレストに少しでも関わる事実があれば、その内容を詳しく明記しなければならない。

コンフリクトとは「衝突」もしくは「相反」、インタレストとはこの場合「興味」ではなく「利益」という意味。つまり、コンフリクト・オブ・インタレストとは、利益相反のこと。たとえば、研究者があるデータを発表したとき、特定の商品や企業、あるいは業種を利する場合がある。健康にいいとか、病気の予防につながるとか。研究があくまで客観的で中立の立場から行われ、結果としてそういうことが起きるのはこれは事実として許される。

しかし、もし研究者が、特定の企業から研究資金をもらっていたり、家族に業界の関係者がいたり、あるいはその企業の株を研究者自身がもっていたり……という具合に、研究と研究者とのあいだに何らかの経済的利得関係があるなら、データの選択や解釈にバイアスがかかったり、結論が導かれる方向に密かな意図が隠されているかもしれない。最悪の場合、薬の許認可や商品のステルスマーケティングに利用される可能性だってある。

なので、研究の公明正大さを担保するうえで、あえて「そんな利益相反は絶対ありません」と声を大にして言っておく（書いておく）必要があるのだ。

最近もこんなことがあった。カナダの著名な疫学者が、肉を食べることと健康の相関関係についての疫学的データを論文発表した。疫学とは大規模な調査を行って、ある要因とそれがもたらしうる結果とのあいだのつながりを統計学的に推測する学問。データは意外なものだった。

これまでの疫学研究の結果は、赤身の肉を食べれば食べるほど、心臓や血管の病気になりやすい、というものだった。が、この新しい研究は、いや、そんなことはない、赤身の肉を食べても大丈夫、ということを示唆するものだった。

赤身の肉とは、牛肉や豚肉のことで、白身の肉とは鳥のことを指している。赤身の肉ほど、動物性油脂の含量が多く、当然のことながらそこにはコレステロールの含有量が高い。多量のコレステロールは血管の内壁に溜まる血栓を作ることに手を貸すので、赤身の肉の食べすぎは身体によくないというのは、理論的にも筋が通っているし、常識的にも納得できる。でも、この研究によれば、そんな通説はさほど心配する必要はない、ということになる。

この点を訝った他の研究者が論文の著者のことを調べてみると、このカナダの研究者は糖分摂取に関する別の研究で研究費を業界団体から受け取っていたことが判明した。これは利益相反ではないのか、ということで大問題となった。

ところが当の研究者はこう開き直った。研究費をもらったのは前のことだし、今回の赤身肉を勧める研究には影響はない。また、論文を出した専門科学誌には三年以上さかのぼってコンフリクト・オブ・インタレストを表明する規定はない、と。

いやはや、すごいですね。規定はそうかもしれないが、開示すべきことは進んで開示するのが研究者倫理というもののはず。しかもこの学者が研究費をもらっていたのはたった四年前だった。研究者も人の子だから、というよりも、研究者の方が象牙の塔にこもって世事に疎く、しかも研究秀才は概してセコイから、カネを前に誘惑に堕ちやすい危険性が多々あるのだ。肝に銘ずるべし。

（二〇一九・一〇・二四）

引用元を明らかに

「七月の参院選広島選挙区で初当選した自民党の河井案里氏の事務所が運動員に法定上限を上回る報酬を支払っていた疑惑が浮上し、与党内で国会運営などへの影響を懸念する声が出ている。河井氏の夫は克行法相。週刊文春の電子版が三十日、報じた」（二〇一九年十月三十一日・朝日新聞）

この記事を見て、最近は大手メディアもきちんと引用元を明記するようになったのだなあ、とハカセは思った。一昔前なら、週刊誌がスクープを報道しても、大手メディアはそのプライドから「一部報道によると……」みたいにボカして書くことが多かった。

最初に井戸を掘った人へのリスペクトを怠らないこと。このフェアプレイ精神は大切である。片や、昨今、ハカセも属する大学や学問の世界ではとんでもないことが頻発している。東大に留学してきた〝宇宙飛行士〟候補の経歴が捏造、論文のほとんどが剽窃だったり（ＮＡＳＡの宇宙飛行士の写真に自分の顔を貼っていた）、ＳＴＡＰ細胞研究者の学位論文がコピペだらけだったり。最近も、児童ポルノ研究のメディア学者の著作に無断引用が多数あり、はては、有名私立大のドイツ思想史の教授が、〝架空〟の論文から引用を行っていたり……。

しかし、我が身を振り返ってみるとハカセにも一抹の不安がある。他人の文章をそのままコピペしてくることはないけれど、どこかで読んだ誰かの一文が記憶の中で醸成されるうちにあたかも自分が考えたもののように思えることはありえる（先日は、この逆で、ある有名な小説の一節を引用したつもりが、いつの間にかハカセの頭の中ですっかり改変されてしまっていた。これは編集者が事前に照合してくれたので、誤りがわかりました）。もっと恥ずかしいのは自己コピー。すでに自分でどこかに書いたことを忘れて、また同じジョークや逸話をあたかも新鮮な話のように語ってしまうこと。でも一方で、動的平衡の理《ことわり》みたいなハカセの基本コンセプトは何度も繰り返し言わざるを得ない。まあ、手を替え品を替え、同じテーマを歌うというのが話芸ですのでその点はお許しを。

最初に述べた引用の大切さにもう一度戻りたい。

タンパク質に、ある条件下でレーザーを当てるとイオン化し、その重さ（質量）を分析することができる。駆け出しの若い無名技術者によって行われたこの実験は、「ネイチャー」のような有名誌ではなく、超マイナー学術誌にひっそり掲載された。それでもあとに続いた科学者たちはこの論文を引用し続けた。ずっと後になって、この技術者、つまり田中耕一は、質量分析のパイオニアとしてノーベル賞に選ばれた。当初、メディアは全くノーマークだった。

近年、分子生物学の世界で最も注目されている新技術は「ゲノム編集」というものだ。ＤＮＡの遺伝暗号をピンポイントで書き換える画期的な方法である。

ゲノム編集はノーベル賞間違いなしの大発見だが、選考委員会はどこまで遡るだろうか。これは細菌が、ウイルス感染から身を守るために備えていた防御システムを応用したもの。一番最初のきっかけは、三十年ほど前、当時阪大にいた石野良純らによる発見で、日本生化学会英文誌に発表された。大腸菌の遺伝子を解析したところ奇妙な回文構造が見つかった。防御システムの目印だった。ただ、その頃はこの回文の意味まではわからなかった。「この構造の生物学的意義は不明である」と彼らは正直に書いている。

ああ、ワトソンとクリックのＤＮＡ二重らせん構造の発見論文の最後みたいにちょっとハッタリをかませておけばよかったかも。そこには「この対構造が直ちに自己複製機構を示唆することに、私たちは気がついていないわけではない」と記されていた。

（二〇一九・一二・五）

第8章　ハカセの読書d・i・a・r・y

朝日新聞vs.読売新聞

朝日新聞vs.読売新聞。この勝負、福岡ハカセの経験から言えば、圧倒的に読売新聞の勝ち。といっても、スクープや記事の質とか、権力に対峙する姿勢とか、そういったややこしいことではありません。

いずれの新聞社とも、取材を受けたり、コラムを書かせてもらったり、ノーベル賞の季節になれば解説員として駆り出されたり、といろいろなお付き合いがある。もっとも頻繁にやりとりしたのは書評欄を担当していたときのこと。書評欄とは、いうまでもなく本の紹介コーナー、ブックガイド面のこと。これは昔からどんな新聞・雑誌メディアにもあって、このコラムを連載している「週刊文春」にも文春図書館というたいそう充実したページがある。活字が好きな読者は、この書評欄に必ず目を通し、ああ今、こんな本が売れているのか、とか、この小説、面白そうだなあ、とか情報を得て、実際、本屋さんに行って手にとってみるわけだ。

今ではネットのおかげで、書評欄から本を知る若い人はそんなにいないかもしれないけれど、新聞・雑誌の書評欄は一定の信頼度を保ち、それなりの影響力を持っている。それは、本を選ぶ人＝書評子が、その人なりの目利きぶりを発揮して、公平に好著を上手に紹介してきたからだ。

新聞の書評欄はこんな風に作られる。まず、作家、評論家、学者など各界から書評委員が選ばれる。福岡ハカセもこの末席に、朝日新聞、読売新聞ともに数年ずつ、加わった。仕組みはどちらも同じ。書評委員は月に二回ほど、新聞社の一室に集合。部屋の傍らに並べられた新刊書の山に取り付いて、めぼしい本をパラパラと見て、何冊かを選ぶ。そのあと会議風に座って、取り上げたい本について意見を述べ合う。だいたい自分の守備範囲というものがあるので（ハカセなら科学系）すんなりと決まるのだが、話題作があったら取り合いになる場合もある。こんなときは新聞社の人が仲裁する。それぞれ持ち帰って熟読し、書評を書く。およそこんな流れ。で、いったいどうして読売新聞の勝ちなの？　と思ったあなた。これから説明します。

この会議、だいたい夕方から始まる。だから新聞社はお弁当を用意してくれているのだが……。これが、読売新聞の方が断然豪華なのであった。陶製の二段重ねのお弁当箱には温かいお料理。熱いお味噌汁とご飯。会議室の隅にはガラス製の冷蔵庫がしつらえてあり、ビール飲み放題。グラスまで冷やされていた。

そして、これが最も重要なポイントなのだが、当時の読売書評委員の中に、小泉今日子さんがいたのだ。我々、八〇年代に青春を過ごした者にとっては神様みたいなもの。その小泉さんが、さりげなく会議室にやってきて、ごく自然に席に座り、静かに本のページをめくっているのだ。なるべく見ないようにするのだが、オーラの光が目の端に差し込んでくる。そして彼女が書く書評がこれまた抜群にうまいのであった。

書評というのはなかなか難しい。まず本のあらすじや著者を紹介しなければならない。かつ、未来の読者に向けて、ぜひ読んでみたいと思わせなければいけない。つまりネタバレぎりぎりに書かなければならない。でも「怒濤のラストに感涙！」みたいな紋切り型はダメ。小泉さんの書評は、その本をどう読んだのか、毎回ちゃんと自分のフィルターを通して書かれていた。そしてふと飼い猫の視線を感じた、みたいなチラ見せ技が使ってある。つまり話芸になっていた。というわけで、おいしいお弁当と小泉さんに会いたいばかりにせっせと読売書評委員会に通いつめたのでありました。

そうそう、全国の学校でも、読書感想文の代わりに、友だちが読みたくなるような書評を書かせたら文章力の鍛錬になるはずだと思う。

（二〇一八・五・三）

作家、スランプに陥る

ライターズ・ブロック（writer's block）という英語がある。作家の壁、つまり、作家がスランプに陥って書けなくなってしまう病《やまい》を指す。かく言う福岡ハカセも、小なりとはいえ、こうやってもの書き業の末端に連なっているわけで、しばしばネタに困ったり、どう書いたらいいか迷ったり、あるいは締切が迫っているのになかなか書き始められなかったりする（こんな話題から始めているのはまさにその証拠）。

大作家と呼ばれる人々であっても、あるとき突然、ライターズ・ブロックに襲われ、最後は自ら命を絶ってしまった文豪も数多い。いやいや、まだ書く場所があるうちはいいのだ。どこからもお呼びがかからなくなる可能性だってある。雑誌や新聞といった紙の活字媒体はどんどん衰退の一途。ああ、聞くだけで恐ろしい。

そんな折、『Can you ever forgive me?』という映画を見た。日本ではまだ劇場公開されておらず、ハカセはたまたま飛行機の中のｍｏｖｉｅとして見た（が、邦題はもう付いていて『ある女流作家の罪と罰』）。役者は有名ではないが、みな渋く、味がある。と思ったら、ちゃんと今年（二〇一九年）のアカデミー賞にノミネートされていた！

まさに、ライターズ・ブロックの話である。作家リー・イスラエルは食い詰めていた。かつて、キャサリン・ヘップバーンの伝記を書いて一世を風靡したが、エスティー・ローダーの伝記本をめぐってトラブルになり、本が大量に売れ残るなど、だんだんと時代に乗り遅れ、忘れ去られつつあった。五十過ぎの彼女は、ボロアパートでひとりぐらし、アル中気味、愛するネコだけが同居人。家賃を滞納し、病気がちのネコを動物病院につれていくお金にも事欠く始末だった。

ある日、やむを得ず、彼女は大切にしていたヘップバーンからの直筆手紙を古書店に持っていく。手紙には殊の外、いい値段がつく。次いで、彼女は古本のあいだから別の人物の手紙を二通、発見、ひとつを売りに行く。しかし、内容が凡庸だという理由で大した値にはならなかった。そこで彼女は考えた。もうひとつの手紙の余白に、PS（追伸）として、パーソナルな一文を書き加えてみた。たちまち値段は跳ね上がった。もともと彼女は伝記作家。誰かを憑依させることなどお手の物だった。これに味をしめた彼女は、古いタイプライターを買い揃え、紙を焼いて古く見せ、次々と有名人や作家の手紙を捏造しはじめる。

しかし世の中そんなに甘くない。やがて古書店からマークされた彼女はブラックリストに載り、ほどなくFBIが捜査に乗り出すことになる……。映画は実話に基づいている。舞台は一九九〇年代のニューヨーク。当時はまだマンハッタンのあちこちに個性的な本屋さんがあった。街並みや図書館の机に置かれている小物（たとえば、mac SE／30）などもハカセの留学時代に重なり、懐かしく、ぐっと来た。

でもハカセが一番感じ入ったポイントは、有名作家になりきって手紙を捏造しているときこそが、世間から忘れ去られた女流作家にとって人生最高の一瞬だった、という告白なのだった。このときだけ、彼女は真の作家性を自ら感じた、というのである。

ホンモノ以上にホンモノに近いニセモノを作っているときに最高の自己陶酔感を得る。これはハカセがライフワークとして調べている科学の捏造事件にも通じることなので、ハッとした。イデア信仰とでもいうべきか。幻影とはわかっていても、それが完璧なまでに美しい秩序を放つとき、人はその美しさに焼かれてしまうのだ。そのときライターズ・ブロックは消え去り、作家は加速感の中にいる。でも疾走は続かない。

（二〇一九・三・二一）

ある小倉日記

北九州に日帰り出張した。市民向け文化講演会に呼ばれたのだ。講演一時間半。話はハカセの十八番の「動的平衡とは何か」。終わると慌ただしく帰路に就く。明日また別の予定があるので東京に戻らねばならない。せっかく九州まで来たのに……と、タクシーの外の街並みをぼんやりながめていて、ふと気がついた。北九州ってつまり小倉ではないか。小倉といえば松本清張！　腕時計を見るともう四時すぎ。「あの、運転手さん、清張記念館ってこの近くですか」「もう通り過ぎたよ」「も、もどれますか」「ええ？」

ちょっとだけでもぜひ見ておきたい。次の辻でタクシーをUターンさせ、建物に駆け込んだ。なんとラッキーなことに閉館時間は六時だった。

ここが実にすばらしかった。東京の高井戸にあった清張邸の応接間、書斎、大書庫、庭の巨石などをまるまる移築。清張の年譜や原稿、映像資料も一挙公開。清張番の編集者たちが順に思い出を語るビデオなど十二分に堪能できる造りになっていた。そのビデオでは、講談社の天野敬子が「清張さんは、作家があらゆる面で社会と対峙できた時代の最後の巨人」（大意）と語っていた。まさにそのとおりだなあ。

昭和の子どもだったハカセ。読書といえば松本清張。『点と線』『ゼロの焦点』『砂の器』に始まって、ほとんどの作品を読んだ。昭和が平成に変わる頃、アメリカで研究修業をしていたハカセは、留学生のあいだに回されてきた日本の月刊誌や週刊誌をむさぼり読んだ。ネットがなかった当時、わたしたちは日本語の活字に心底餓えていたのだ。

ちょうど「文藝春秋」には「『隠り人《こもりびと》』日記抄」などの短編、「週刊文春」には「神々の乱心」が連載されていた。

前者は、日本共産党の追っ手から逃れるため、世を捨て身をやつし、人目を忍んで生きる初老の男の不安と孤独を淡々と描いた小作品だが、いつまでも印象に残る佳作（後に『草の径』に収録）。後者は、皇室の奥、新興宗教団体、そして政治状況が交錯する超大作。小泉孝司の手による不気味な挿絵とともに毎回深まる謎にぞくぞくしながら次号を待った。ところが物語が終盤の盛り上がりに差し掛かろうとしたとき、絶筆となってしまったのだ（一九九二年五月二十一日号・連載第百五回で中断、清張はその年八月四日、八十二歳で亡くなった）。

物語は未完のまま出版された。文庫版巻末には、清張が生前語っていたというヒントが「編集部註」として掲載されている。鉄道オタク・清張オタク・皇室オタク（というか皇室研究がご専門）の原武史による推理本もある（文春新書『松本清張の「遺言」』）。

なぜ清張小説は今もなお読者を惹きつけ、映像化され続けるのか。人間の動機を物語の中心に据えているからだ。暗い過去を消し去りたい。権力闘争に競り勝ちたい。欲望を実現したい。事件や犯罪のトリックは古びても、人の性《さが》は変わらない。

図書室も充実していた。全集や文庫など清張本がずらりと並び、それを手にとってソファーやテーブル席で自由に読めるようになっている。思わずもう一度、『神々の乱心』を読み返したい衝動に駆られたが、もう閉館時間が迫っていた。

売店には清張小説とともに清張研究本が置かれていた。その中にすごい本を見つけた。『松本清張地図帖』。あの帝国書院刊。清張の代表的な小説ごとにその舞台となった街や路線、名所旧跡を地図の中にマッピングした上で解説。昔の東京を走っていた都電の路線図までついていた。すばらしい。根っからのマップラバー・福岡ハカセの萌ポイントを見事に突いている。おかげで帰路は、清張ワールドにとっぷり浸ってしまった。便を遅らせたかいがあった。

（二〇一八・一一・八）

パピルス宣言

どんなに電子化が進もうとハカセはやっぱり紙の本が好きだ。紙の本を読んで育ったし、紙の本によって育てられた。今も紙の本から学んでいる。

以下にハカセの「パピルス宣言」を記す（パピルスすなわち紙の本・命）。

紙の本には佇まいがある。紙の本には装丁がある。紙の本にはページがある（電子書籍は拡大・縮小すると勝手にページが変わってしまう！　どれくらい読んだか％で表示されるなんていやだ）。紙の本には書体がある。紙の本には天と地があり、小口とノドがある（いずれも紙の本を開いたときの上下左右、中央の呼称）。一行の文字数があり、一頁の行数がある（リフローなんていらない。ページ、行、字数が、固定されているからこそいいのだ）。紙の本には厚みがある。紙の本には持ち重りがあり、読み進めるにつれ重心が移動する。その推移の感触が今の自分の位置を告げる。

つまり、これが本だ。つまり本には独自のバインド（綴じ方）があり、その中を固有の時間軸が貫いている。読者はその細い道を独りで辿る旅人。本が知恵の泉として、これからも我々の未来を潤すなら、本は文字通り、本来の本のかたちを保ち続けなければならない。

なので、ハカセはいまだに自分の主だった著書の電子化を許諾していない。とはいえ、ハカセはアナクロニズムやノスタルジーで書籍の電子化に反対しているわけではありません。電子化すれば、検索やメモ、本の保管、あるいは普及の面で格段の利便性があることは明白である。なので、電子化するとすれば、せめて本のサイズや装丁が反映されてほしいし、書体やページのデザインが固定されてほしい。できれば紙の本のように両開きで、読み進めるにつれ、あるいは読み返すと、自分がその本の中のどこにいるのか、すぐにわかるようにしてほしい。もし、そういう読書端末ができれば、自分の本も電子化されてよいと思う。

ニューヨークに行くと懇意にしている古本屋さんに立ち寄る。そこは古いビルの上の方の階にあり、通りからは見えない。各階にはひとつしか店舗がなく、エレベーターの扉が開くといきなり古本屋さんの入り口。ブザーを押さないとガラス戸を開けてくれない。中には木のしっかりした本棚が設《しつら》えてあり、古本屋さんといっても、神保町にあるようなぐじゃぐじゃしたお店（それはそれで好きなんですが）と違って、すべての本がきれいに整理整頓されていて、なんだか美術館に来たようなしんとした空気。それもそのはず、ここにあるのはほとんどが今では古典的な名著となった本の初版本ばかり。内容自体はペーパーバックの普及版（日本なら文庫）で読めるのだが、やはりその本のオリジナルの佇まいを知ると、全然雰囲気が違うもの。

何か出ものはありますか。店主のジェームスさんに聞いてみる。こんなのはどうですか。『1984』。村上春樹ではなく、本家ジョージ・オーウェルのディストピア小説。深緑色の表紙に薄く1984と染め抜かれ、その上にさらに白字でnineteen eighty-four と書かれている。一九四九年刊。世の中はすっかり彼の予言したとおりの監視社会になってしまいました……と、お値段を見てみると、四千五百ドル。いいお値段ですこと。

他には？ こういうのもあります。〝ザ・ハント・フォー・レッド・オクトーバー〟（『レッド・オクトーバーを追え』）、ご存知、トム・クランシーのベストセラー軍事サスペンス。飾り気のないシンプルなカバー。ソビエトの紋章が赤く刻印されている。これって確か日本語版は文藝春秋刊だったのでは？ 文春版ならハカセの本棚のどこかにあるはず。こちらのお値段は千二百五十ドル。

みなさん、紙の本の佇まいを大切にしましょう。そして初版本は取っておいた方がいいです。

（二〇一九・一二・一九）

2001年 書店の旅

アメリカ人の知人と物語史上最高の悪役は誰か？　という話になった。ちなみに〝悪役〟の英語は、〝ヴィラン（villain）〟。ヒール、というのはどうもプロレス由来の用語らしく、こういう場合、あまり通じない。

ベスト・ヴィラン、最初に彼が持ち出したのは、『スター・ウォーズ』のダース・ベイダー。ほんとにアメリカ人はダース・ベイダーが好きなようで、ダース・ベイダーを主人公にした派生コミックがいろいろある（ダース・ベイダーがシングルファーザーになって子育てに悩む話とか……）。福岡ハカセの一押しは何と言ってもハカセなので、『羊たちの沈黙』の天才連続殺人鬼ハンニバル・レクター博士。

でも、やっぱり一番怖いのは、モンスターでもなく、シリアルキラーでもなく、人間の狂気そのものだよね、ということで意見の一致を見たヴィランは『シャイニング』の主人公ジャック・トランスであった。ご存知、ジャック・ニコルソンの怪演で超有名なこの映画、冬期閉館されるホテルの管理人をすることになった小説家が、ホテルに宿っている超自然的なパワーに感応して徐々に精神を蝕まれ、ついには妻子を追い詰めて襲いかかるというストーリー（原作はスティーブン・キング）だが、とにかく怖い。

この映画を作ったのは名匠スタンリー・キューブリック監督。彼の完璧主義は徹底していて『シャイニング』の恐怖最高潮場面――ドアを斧で叩き割って、その裂け目から狂気の表情を覗かせるジャック・ニコルソンのシーン――はなんと二百テイクちかい撮り直しをしたそうな。

さて、福岡ハカセ、そんな鬼才監督の名を冠した書店、ブックスキューブリックにおもむくことになった。一体、どれほど恐ろしい迷宮が待ち受けているのか、いかなる狂気にとりつかれることになるのか、恐怖に身震いしながら旅に出る。ブックスキューブリックがあるのは九州・福岡。

地図を頼りに店の前まで行く。見上げると黒地にBOOKS KUBRICKの赤い文字。入ると本がこぎれいに並べられていた。でもその品揃えが一風変わっている。フランクルの『夜と霧』が平積みされていたり、寺山修司があったり。流行りのビジネス書やベストセラーよりも哲学書や人文書が中心。文庫や新書もバラして著者別、テーマ別にまとめられている。

一方で、絵本のコーナーがあったり、アクセサリーや文具小物がおいてあったり。小ぶりの店内が実によくレイアウトされている。中央にらせん階段があり、この造形だけはややキューブリック監督的と言えなくもないが、これをそろそろと上がると二階はわりと広めのカフェ。パン工房も併設されていて、焼き立てのパンとおいしいコーヒーが飲める。ここが今日の会場。福岡ハカセはブックトークのゲストとしてここにお呼ばれしたのであった。

この店のオーナーは、根っからの本好きの大井実さん。脱サラして当地福岡に小さな本屋さんを作った。それが二〇〇一年。二〇〇一年といえば「宇宙の旅」。だからキューブリックということ。そういうことか。このトークショーには大井さんの人徳と人脈でこれまで名だたる作家が出演している。最近では平野啓一郎や大竹昭子、過去には谷川俊太郎、角田光代、柴田元幸各氏など。

十九時開始の予定が少し遅れる。「博多の人はわりと時間にルーズなんです」と大井さん。会場に入るとぎっしりとお客さん。大井さんとのやり取りで、ハカセは自分の本のことや生命論、あるいは須賀敦子の思い出などを夜更けまで語った。ブックスキューブリック、シャイニングならぬ輝きと磁力で本好きの人と人とをつないでいる。やっぱり本屋さんは街場の公共空間として、無くてはならない存在なのだ。

（二〇一九・七・四）

「三月書房」幻想

ハカセが学生時代から敬愛していた京都・寺町二条の三月書房がとうとう店頭営業を終了した（ただし、ちょっと偏屈な店主＝宍戸立夫さんが貼り出したお知らせには「週休七日　年中全休」となっているらしい）。

三月書房はハカセにとって理想の本屋さんだった。決して広くない店内には、渋めの古い本が著者ごとに並んでいる。山田稔、三木成夫、つげ義春、吉本隆明、河野裕子……いわば店内がひとつの小宇宙となっているのだ。文学、詩、芸術、社会、サブカル、科学。ハカセはこの本棚の並びを見て、実にさまざまなことを発見し、かつ学ばせてもらった。つまりここには知の地図があり、書の時間軸がある。街場の本屋さんはこうでなくては。「この本を買った人はこんな本も読んでます」みたいに人工知能がオススメしてくれるのとは全然わけが違う。教養の厚みが全然違うのだ。

それが無くなってしまうと聞いて、とても残念な気持ちになった。京都を離れてしまってからも、関西方面に用事ができた時は必ず立ち寄ることにしていた。学生時代から早四十年。三月書房の変わらぬたたずまいに触れて、いつもほっとした。それが消えてしまう。青春の憧憬がぽっかり失われてしまう気がした。

　思い切って、店主の宍戸さんに連絡してみた。コロナの影響もあるにはあるが、後継者もおらず、潮時と判断した、ということだった。でも、ここから先がさすが京都人。寺町通は、骨董品屋さんや筆屋さん、仏具屋さん、古風な喫茶店などがならぶ風情ある界隈。梶井基次郎の小説「檸檬」で有名な八百屋さんもこのあたりにあった。なので三月書房がシャッターをおろしたままだと、ちょっとご近所に申し訳ない。そこでシャッターにトロンプ・ルイユを描いてみたい、というのである。

　それは大名案ですね。ぜひ、一ファンとしてハカセにお手伝いさせてください。トロンプ・ルイユとはだまし絵のこと。実際にはそこに存在しない窓枠や置物などを描き、あたかも存在するように見せかけるトリックアートのこと。

　幸いハカセはこれまで何度も三月書房の取材をさせていただいており、店の内外の写真資料をたくさん持っている。これをちょっと絵画風にデジタル加工し、原寸大フィルムに印刷してシャッターに貼り付ける。三月書房のシャッターは三枚あるので、真ん中は閉めたまま、左右のシャッターにはだまし絵を貼って、店内の本棚が見えるような感じにした。開店前のひととき、といったところ。ガラス戸には自転車が写り込んでいるので、宍戸さんがホンモノの自転車を店の前に置けばもう完璧である。道行く人は、あれ？　三月書房、開いている！　と思うこと間違いなし。この記事が出る頃には完成しているはずなので、みなさんぜひご覧ください（細部にちょっとしたいたずらを仕込みました）。

とはいえ、それも一瞬のまぼろし。ちょっと近づいて見るとやっぱりシャッターは閉まったまま。その上の「三月書房」の看板だけが過ぎ去りし日の面影を残している。

そうだ。ハカセは、宍戸さんにお願いして、最後にはこの看板を譲り受けることにした。たとえとして〝三月書房の看板を引き継ぐ〟のではなく、この看板の精神に寄り添って、ハカセ独自の「動的書房」を作ろうと思うのだ。そこはネット上の仮想空間だが、三月書房のような静かな佇まいがあり、棚にはハカセがセレクションした本が並んでいる。来訪者は店内をうろついて、本をパラパラめくることができる。気に入ったら即ダウンロードできるか、紙が好きな人には翌日、配送される。いちばん奥の壁には、古美術の額のように「三月書房」の看板が飾られている。

（二〇二〇・九・一〇）

○○語辞典

ハカセの近年の偏愛書のひとつに、誠文堂新光社の「○○語辞典シリーズ」がある。惹句は、〝趣味の世界をイラストと豆知識で楽しむ〟。手元にあるのは、『山登り語辞典』（鈴木みき著）、『コーヒー語辞典』（山本加奈子著）、『村上春樹語辞典』（ナカムラクニオ・道前宏子著）。それぞれ個性的な絵と言葉でその世界特有の用語や言い回しを解説してくれる。

たとえば『山登り語辞典』では、「キジ撃ち」↓〝男性が用を足しに行くときに使う隠語〟、対して女性の場合は「お花摘み」という。「沈殿」↓〝悪天で身動きがとれず、その日の予定をなしにして同じ場所で過ごすこと〟、「やぶこぎ」↓〝登山道のない道で笹藪、密林、ハイマツをかき分けながら進むこと〟。

こんな登山用語だけでなく、植村直己、加藤文太郎、田部井淳子といった登山家たち、畦地梅太郎（山を題材にした版画家）、新田次郎（ご存知山岳小説家）といった人名、あるいは有名な山々や登山の歴史などにもいちいち目配りしている。かわいいイラストには著者のちょっとした一言が添えられていて笑える（「山ではじめて見たタイツマンはウルトラマンみたいで衝撃的だった」など）。これだけのさし絵と文章をひとりで書くのはたいへんなことのはず。なのに実に楽しく読めてかつためになる。

『コーヒー語辞典』には、コーヒーについてのうんちくが満載。そして、ハカセの涙を誘ったのはこの一項。「大坊（だいぼう）珈琲店」→〃表参道に面した喫茶店で二〇一三年に惜しまれつつも閉店。ネルドリップで丁寧に作られるコーヒーは濃いめながら甘みを十分に感じるまろやかな味わい。言葉ではなくコーヒーで語り合うスタイルには、多くの人が癒やされたのではないだろうか〃。

そうそのとおり。ハカセも癒やされた一人です。あんなにしっとりとした静かな時間が漂う喫茶店もありませんでした。ハカセは写真集まで持っています。

そして『村上春樹語辞典』。これ極めつきの優れ本。登場人物、場所、アイテム、メニュー、楽曲、名言などを縦横無尽に網羅。春樹ファンならもう最初から最後まで目を皿のようにして読んでしまうこと間違いなし。

「壁と卵」→〃得意の「壁」というモチーフを使った村上さんの名スピーチ。エルサレム賞の授賞式にて、「もしここに硬い大きな壁があり、そこにぶつかって割れる卵があったとしたら、私は常に卵の側に立ちます」と語った〃。村上春樹は、イスラエルの要人たちが居並ぶ前で、堂々とこれを言ったんです。すばらしい。

「カラス」→〃田村カフカの頭の中にいる想像上の友達。彼にさまざまなことを語りかけてくる。ちなみにカフカとはチェコ語で「カラス」をあらわす〃。そう、村上春樹の小説の登場人物の名はいつも思わせぶりなんです。

「島本さん」→〝『国境の南、太陽の西』に登場する、主人公「僕」の幼なじみの女性〟。これはハカセが一番すきな春樹小説。このあと「僕」は不可抗力的な磁力に引き込まれて島本さんともう戻れない道に入っていってしまう。そんな体験、一度でいいからしてみたいなあ。あ、でもやっぱり「小確幸」でいいのかな。→〝村上さんによる「小さくても確かな幸せ」という意味の造語〟。


さて、それでは紹介ばかりでなく、私も福岡ハカセ版『生物学語辞典』を作ってみよう。

「コンタミ」→大事な培養細胞やサンプルにゴミや雑菌が入り込んでしまうこと。皆、一度は痛い目に合う。

「CNS」→「セル」、「ネイチャー」、「サイエンス」の三大有名学術誌。ここに論文を発表するのが研究者の晴れ舞台。

「イルミナ」→悪の秘密結社ではなく、次世代DNA高速解読マシン。これのおかげでゲノム科学が大発展した。

「足の裏のごはん粒」→理系の博士号のこと。取らないと気持ち悪いが、取っても食えない。学問の道はきびしい。


（二〇一九・一二・二六）

研究者あるある

川柳の秀句を少々ご紹介。
《リジェクトを重ねた分だけ強くなり》
《千回の「アイシテル」よりア・ク・セ・プ・ト》
これを読んで、クスッと笑えるのは、間違いなく〝業界〟の人ですね。何業界かと言えば、ライフサイエンス業界である。
理系研究者にとって最も大事なことは、自分の研究論文が専門誌に掲載されること。しかし、これがなかなかに難しい。
書き上げた研究論文を専門誌に投稿すると、匿名の審査員が読んで評価する。見る目は厳しく、データの弱点なども見逃さない。なので、大体の場合が、掲載に足るクオリティに達していないとして却下（リジェクト）、さもなければ、この点とこの点を追加実験して仮説を補強しないかぎりは掲載不可という無理難題のイチャモンがついて返送されてくる（リバイス）のが普通である。
いきなりリジェクトを食らうと、入学試験とか採用面接で落とされるのと同じで、人生を全否定されたような深い絶望感に襲われる。福岡ハカセだって何度、論文のリジェクト、リバイスを経験したことか。しかし、そこは研究者たるもの、気を取り直して実験計画を練り直し、よりよい成果を目指そうとする。リバイスの注文に応じて、歯を食いしばって数ヶ月を費やし実験データを補強して、論文を再投稿する。最初の一句は、その心情を表したもの。

しかし、再投稿した論文に対して、イジワル審査員からまたまたクレームがついてきて、さらに追加実験が必要、ということもままある。またもめげずにがんばる。こうして研究論文は磨かれていき、ついには審査員も納得、晴れて「アクセプト」（受理）の通知が来る。その瞬間は、ほんとに欣喜雀躍、天にも昇る気持ちになる。それがもうひとつの一句。

これらの句は、講談社ブルーバックスの『さいえんす川柳　「研究者あるある」傑作選』に掲載されている作品。ＰＣＲマシンなどを販売している科学機器メーカー、サーモフィッシャーサイエンティフィックが毎年実施している「川柳　ｉｎ　ｔｈｅ　ラボ」の中から抜粋された。ハカセも知らなかったのだが、これまでに六千を超える応募があったという。掲載作はいずれもおかしくて、そこには研究者たちの喜び、失望、あるいは悲哀が見え隠れしている。論文も大事だが、人生にとってより大事なのは、川柳的なこの軽妙さ、つまり、センス・オブ・ユーモアですね。

優れているのは、各句に添えられているイラストレーター服部元信氏による挿絵。アクセプトの一報を受けた女子研究者は狂喜の疾走をしているし、リジェクトを重ねた男子研究員はバーベルの重みに耐えている。

こんな一句もあった。

《いにしえの技術を誇る老教授》

現在、ＤＮＡ解析のほとんどは全自動化・超高速化・コンピュータ化されており、マシンの中で何が行われているかはブラックボックスになってしまっている。ハカセが駆け出しの研究者だったころは、すべてを手作業で行っていた。それは大型のガラス板の間に薄いゲルの膜を作って、そこに細心の注意を払ってＤＮＡ断片を電気泳動し……とまるで精密時計職人か伝統工芸士かという域に達していた。なので、ついつい「キミたち若者は知らんだろうが」という話になる。酒を飲んで赤ら顔で得意げに語っている教授に、ハイハイと聴いているフリだけの学生。ハカセも自戒せねば。

という風に、理系に無縁の人が読んでも、十分に面白いのでぜひ手にとって見てください。では最後に福岡ハカセも一句。

《ノーベル賞めざしたはずが解説者》

（二〇二〇・一一・一二）

是枝監督と映画の「あいだ」

是枝裕和監督が、映画『万引き家族』で、カンヌ映画祭の最高賞パルムドールに選ばれた。パルムドールとは、パルムという人形があるわけではなく、黄金の（ドール）ヤシの葉（パルム）という意味で、トロフィーのデザインにちなむ（とはじめて知った）。

是枝監督とはご縁があって、つい先日も対談したばかり。『万引き家族』も試写会で観ていた。非常にすばらしい作品で秘かに期待していたのだが、みごと受賞が実現した。ほんとうにおめでとうございます。

是枝作品はこれまでもずっと親しんできた。『誰も知らない』『そして父になる』『海よりもまだ深く』そして本作。是枝監督の映画には不思議な作用がある。映画を観たあと少なくとも数日間は、その映画の空気感が身体のあちこちにまとわりついて離れないという作用だ。それは、切ないような、懐かしいような、それでいてどこかしら温かいような気分で、最初は、こんな気持ちがどこからくるのかわからず戸惑う。明らかに、いま自分が置かれている現実とは無関係な感情なのだ。戸惑いながら、その由来を探り当てようと記憶を巡らせてみると、それがつい先日見た是枝映画の中の空気と時間だと気づく。

しかもその懐かしい気分というのは、映画のストーリーそのものとは関係のない、シーンとシーンの「あいだ」の空気感なのである。それは窓を打つ雨音だったり、セミの声だったり、ゆっくりと流れていくセンターラインだったり、遠くに立ち並ぶ鉄塔の列だったりする。

そう、是枝映画にはこの「あいだ」が実にたくさん出てくる。シーンとシーンが実にゆっくりと、ていねいに、いろいろな音や光の余韻を残しながらつながれている。まるでストーリーそのものよりも、その「あいだ」にこそ意味があるのだ、といわんばかりに。尺（時間）が厳密に決められているテレビドラマには真似出来ない、映画ならではのぜいたくでもある。

そういう是枝監督はテレビ業界に長くいた。わたしは彼に尋ねてみた。テレビと映画とはいったい何が違うのでしょう？　初球から難しい球が来た、といわんばかりに是枝監督は腕組みしながら唸ったが、実はこれは彼の中で何度も問い直されてきたテーマだったのだろう。その答えが奮っていた。

テレビと映画。一見、同じようなものに見えるけれど、その進化のプロセスが違う。テレビはラジオに画《え》がついたもの。だからみんながラジオに耳を傾けたように、テレビもみんなで見るものとして今もある。つまり日常と地続きのもの。でも映画はじっと見つめていた写真が動いたもの。暗闇の中で、不特定多数の人たちと一緒にいるとはいいながら、一人ひとりが観るもの。つまり日常とは切り離された、個人的な体験として観るもの。

これを聞いて、是枝映画の秘密がちょっとだけ解けたような気がした。だからこそ、是枝作品は、登場人物の織りなす物語を描いていながらも、常に、それはあなた（つまり映画を観るわたし）の個人的な物語でもあるのだ、という問いかけがなされている。その問いかけは、映画のストーリーそのものよりも、むしろストーリーをつなぐ「あいだ」に仕掛けられている。

今回の『万引き家族』も是枝監督のライフワークともいうべき「家族」がテーマ。舞台は、向こうにスカイツリーが遠望できるような東京の下町。ビルの谷間に挟まれて時代に取り残されたようなオンボロ一軒家。そこには不思議な〝家族〟六人が身を寄せ合って暮らしている。夏の夕立ち、花火の音、寂れた海岸に吹く風、不意に降り積もった雪。そんな「あいだ」にこそほんとうの問いかけがあり、それはカンヌ映画祭に集った世界中の人々の心の弦を震わせたのだ。

（二〇一八・六・七）

水没する東京

冬休み、ニューヨークはタイムズスクエアの巨大シネコン（二十五もシアターがある）で、遅ればせながら新海誠監督の話題作『天気の子』を鑑賞した。シアター場内はほぼ満席。ハカセが観たのは、音声は日本語そのままで、英語の字幕が出る米国公開バージョン。英語吹き替え版もあるそうだが、英語圏のアニメファンたちも日本人声優たちの会話や歌の雰囲気をオリジナルで楽しみたいと思っているようだ。実際、当地のアメリカ人の知人から「日本語でそのままわかるってうらやましい！」とまで言われてしまった。

ちなみにアニメとマンガはもう完全に英語化していて、市内の図書館でも学校の図書室でも、『ONE PIECE』や『NARUTO』の英訳本がMANGAコーナーにずらりと並んでいるのはごく普通の光景。その英訳本も、日本と同じように右開き、コマ送りも右から左となっていて、こちらの読者も全然違和感なく読んでいる。

昔は、英語マンガの作法に則って左開きにしなければならず、そうするとコマ送りが逆向きになってしまうので、窮余の一策として、日本マンガの原作をすべて裏焼きして（反転して）印刷し、コマは左から右、そこに英語の吹き出しが入れられていた。これではブラック・ジャックがサウスポーになってしまう！（実際、そうなっていた）これも今は昔のこと。

さて『天気の子』。なかなかの感動巨編に仕上がっていた。ラストシーン、ハカセの隣の席の米国人男性は泣いていた。ネタバレ警察のお叱りを受けるかもしれないが、日本では公開からもうだいぶん時間が経過したので、未見の読者のためにちょっとストーリーを紹介すると……主人公の帆高は十六歳の少年。離島から東京に家出してきた。バイトを探して何とか自活しようとするがうまく行かない。そんなとき不思議な少女、陽菜《ひな》に出会う。新海監督の描く都会は前作『君の名は。』と同様、詩的な光沢に彩られている。しかし青空はない。異常気象が続き、雨が降り止まないのだ。

陽菜はシャーマン的な超能力を有していた。祈ることによって晴れ間を作ることができるのだ。帆高は陽菜に惹かれていくが、彼女の生命はその特殊な能力と引き換えに徐々に失われていくことに気づく。陽菜は異常気象から東京を救うために、グスコーブドリ的な自己犠牲に身を捧げようとするが、帆高はそれを必死に止めようとする。少年と少女の純愛がいきなり世界の存亡に結びついてしまうのは、前作同様、新海ドラマツルギーの基本モチーフなので、それはよしとするにしてもハカセはちょっと物足りなかった。

結局、帆高は世界を選ばず一人を選ぶ。つまり天に召されようとする陽菜を取り戻す。そのかわり東京の湾岸地区はすべて水没してしまう。でもその光景はどこまでもきれいすぎるのだ。微温的すぎるのだ。そこには死の影も泥と瓦礫と破壊の爪痕もない。どうせなら世界の存亡は、

『風の谷のナウシカ』の火の七日間か『チャイナ・シンドローム』みたいな徹底的に不可逆的なものにしてほしかった。

それからあえて批評めいたことを付記するとすれば、ちょっとクリシェが多いかな、ということ。出てきたピストルは必ず発射されなければならないとか（村上春樹じゃないんだから）、ただひたすら走り続けるとか（『走れメロス』じゃないんだから）、カーチェイスシーンで階段を下り降りるとか（ハリウッド映画じゃないんだから）はいかにも紋切り型。繊細な美意識で個人的な世界を手作りしてきた作家が、メジャーな娯楽大作を製作しなければならない運命に巻き込まれた以上、商業的な必要悪かもしれないけれど、やや興ざめしてしまう（でも米国人にはそこが受けていた模様）。なにより愛を選んだ帆高と陽菜は、これからいったいどう生きるのだろう。

（二〇二〇・二・二〇）

ハカセ、サルトルを観る

福岡ハカセは生物学者なので、生物学以外のことはまったくの素人なのだが、いろいろなところからさまざまなご依頼がある。今回は、サルトルの劇について寸評を書いてほしい、とのこと。生物学者が哲学の巨人サルトルについて語れることはほとんどない。第一、サルトルの難解な著作なんて全然読んでいない……。

でも、こんな風には言えるかもしれない。生命とは何か、という問いは、葉っぱの上を這っていた芋虫が、蛹になり、そこから華麗な蝶になるという劇的な変化に目を見張った昆虫少年の素朴な疑問であると同時に、最先端の分子生物学の課題でもあり、あらゆる文学、すべての芸術のテーマでもある。だからその創作物が、生命（もしくは人間）をどのようなものとして扱っているかを考えてみると、ちょっとした手がかりがつかめるかもしれない。

それと、福岡ハカセが、かねがね言っている科学を学ぶための最善の方法は、まず科学史を学べばよい、ということ。人間がその課題にどのように取り組んできたかを、文化史として時間軸に沿ってあとづけてみると見えてくるものがある。

ということで、サルトルの人生を知り、そして、彼が、人間をどう捉えていたのかという点に注目して観劇してみよう。場所は、初台の新国立劇場。演目は『出口なし』。演じるのは、大竹しのぶ、段田安則、多部未華子。

三人は〝地獄〟に落とされた、互いに見ず知らずの罪人。しかし、その地獄には灼熱も拷問もない。ソファーが置かれたホテルの一室なのだ。三人は業を背負った身の上を明かし始める。そして、永遠にこの場所に閉じ込められたことを悟った各人は、その絶望から逃れるために、なんとかもうひとりと同盟を結ぼうとする。しかし二対一の関係は常に不安定なものとなる。冷笑的な「他者」の視線から逃れられないからだ。芸達者な役者たちが長いセリフが続く駆け引きを巧みに演じる。

この『出口なし』は、サルトルの主著『存在と無』を大衆向きに翻案した芝居だとされる。サルトル哲学の主題は自己と他者の関係だ。自己は矛盾した存在で、常に分裂し、自らを否定し、あるときは超越し、逸脱し、外部へ投げ出される。一方、人は常に複数の他者に囲まれる。他者もまた自己矛盾した存在だ。矛盾と矛盾が出会ったとき何が起きるか。自己が絶対的に失墜し、他者のまなざしの前に羞恥するしかない。有名な劇中の決めセリフ「地獄とは他人のことだ」や「ここでは一人でも群衆なのよ」はこの状況を具現化したものだ。

『出口なし』が初演されたのは一九四四年。サルトルは三十八歳、第二次世界大戦の最中にあった。フランスとともに、サルトルもまた時代に翻弄されていた。彼は、その外見からは想像できないほど女性に積極的だった。フェミニズムの旗手ボーヴォワールを終生のパートナーとしつつ、次々と異なる恋愛を交わした。そもそもプロとしての最初の戯曲『蠅』は、女優志望の恋人オルガを有名にするため書かれた。オルガはボーヴォワールの恋人でもあった（つまり彼女たちはバイセクシュアル）。この『出口なし』は、次の恋人ヴァンダのために書かれた。彼女も女優志望。ヴァンダはオルガの妹である！　「週刊文春」があったなら「野獣」とか「鬼畜」と書かれたことだろう。サルトル自身が一番〝出口なし〟だったのだ。

ところがこの芝居が成功を収め、サルトルは上昇気運に乗る。そして一躍、思想界の寵児となる。哲学や文学の理念が世界を先導した時代。そんな時はもう二度とこない。ノーベル賞を拒否できる文化ヒーローも現れることはない。カズオ・イシグロもボブ・ディランも受け取ったしね。知識人がモテモテだった時を知る意味でも、一見の価値あり。

（二〇一八・九・一三）

ひかりごけ

アップルの創始者、スティーブ・ジョブズの名言に「コネクティング・ドッツ」がある。人生には様々な経験の断片が散らばっている。どの点とどの点が、いつどのように結びつくか、それはまったくわからない。だから目先の損得よりも未来を信じるべきだ。大意はだいたいこんな感じ。

あれはたぶん福岡ハカセがまだ中学生の頃のこと。友だちに誘われて教駒（キョーコマ）の学園祭に行ったことがある。その友だちは普通の地元中学の同級生だったが、彼の四歳年上のお兄さんはたいへんな勉強家で、かの教駒に通っていたからだ。教駒とは東京教育大付属駒場校のこと。中高一貫の国立男子校で、東大合格者数ランキングの常連。一学年は二百人足らず。その狭き門に合格した東京近郊の秀才中の秀才が通っている。ハカセが受験しても絶対受からなかったと思う。なので、いったいどんなところなのか一度見てみたかった（ちなみに、現在は、筑波大学付属になったので、略称は筑駒）。

渋谷からバスで行ったような気がする。校舎はわりと地味め。でも、学園祭のポスターやパンフレットは、デザインも内容も凝っていてかっこよかった。まずは屋台でラーメン。これはチキンラーメンにお湯をかけただけのものだったが、とびきりおいしかった。いろいろ見て回ったはずだが、あんまりきちんと覚えていない。

ただ、ひとつだけ目をみはらされたのは、午後遅くに開催された演劇だった。演目は『ひかりごけ』。原作は武田泰淳の小説だ。もちろん、中学生のハカセが知るよしもない世界。このとき初めて小説家とその作品を知った。戦争中、冬の知床沖で船舶が遭難する。九死に一生を得た船長はなんとか岸にたどり着く。しかしそこは閉ざされた知床の崖下。まもなく船員が流れ着く。極寒。食料もない。いや、食べうるものはただ一つだけある。極限状態に置かれた人間の狂気が展開していく。劇場となった狭い教室は観客で超満員。舞台では教駒生たちが飛び跳ねて鬼気迫るドラマを演じてみせた。何も知らなかった中学生のハカセは、その鮮烈さに圧倒された。

とはいえ光陰矢の如し。年を経るにともない、この体験も遠い記憶となって忘れかけていた。ところが、最近、あるテレビ関係者と喋る機会があったときのこと。彼は『ごはんジャパン』のベテランディレクター。毎回、旬の食材を取り上げて料理人がその腕前を披露するグルメ番組。ハカセは解説委員としてときどき出演してうんちくをいう係。彼は言った。「こう見えてもボク、教駒出身なんです」

たちまちハカセの昔の記憶が甦った。「昔、学園祭に行ったことがあって……」「それ、野田秀樹がやったんじゃないかなあ」。えっ！　彼は教駒で野田秀樹と同級生だったそうな。帰って調べてみると……ハカセが教駒の学園祭に行ったのはたしか中二の頃。するとそれは一九七三年の秋となる。野田秀樹はハカセより四歳年上、そのとき彼は教駒高校三年。ああ、ぴったり合うじゃないか。『ひかりごけ』は若き野田秀樹プロデュースだったのだ。どうりでかっこいいはずである。

かくして、ささやかなりとはいえハカセの中で小さなドッツがコネクトされたのだった。中学生は時代の現場に立ち会っていたのだ。ひかりごけは、知床の洞窟などに自生する発光生物。暗がりの中でほんのり緑色に光る。限られた数の秀才たちが限られた場所に詰め込まれるとどうなるか。生徒たちは互いに切磋琢磨しあい、独自のニッチを見つけて生き延びようとする。そして異なった方向に才能を開花させる。それは、見る角度によって異なる色に輝くひかりごけに似ている。

（二〇一九・四・四）

第9章　フェルメール賛歌

フェルメールの夢　ダ・ヴィンチの夢

「福岡ハカセ、フェルメールの次に研究するとしたらどのアーティストになりますか？」とある女性編集者から問われた。

「いえいえ、フェルメールには汲めどもつきぬ深い謎がありますから、まだまだ追求したいと思っています。彼の絵は見るたびに新しい発見があるんです。この前もフリック・コレクションのフェルメール作品を見たのですが、『女と召使』という絵の中の女性が持っている筆記具が目に止まりました。これが不思議なんです。他の絵に出てくるような羽ペンにしては軸が短く、持ち方が鉛筆かクレヨンみたいなんです。当時（十七世紀）、一般家庭ではどんな筆記用具が使われていたのか。調べてみたくなりました。何度も見ているはずなんですが初めて気づいたのです。そうそう、それにこの（二〇一八年）秋には史上最大規模、八点のフェルメール作品が来日する予定ですからね。ハカセとしても何かにぎやかしに一発仕掛けたいところですね」

「えっ、それは何かイベントを企画しているということですか」

「ええまあ、フェルメールに関する新説を発表したいと思っています」

「どんな新説ですか？」

「それはまたのお楽しみに〜」

「焦らしますねえ。ところで福岡ハカセは、フェルメールのどこが好きなのですか？」

「フェルメールの絵の客観性というか謙虚なところですね。『これがオレの世界だ』みたいな自己主張がなく、奥行きにしても、光にしても、細部にいたるまで実に公平に描かれています。そこに科学者的なマインドを感じるんです」

「なるほど。科学者的なマインドの芸術家といえば、他でもないレオナルド・ダ・ヴィンチはどうですか」

「ああ、いいですね。すごく興味があります。ただ、ダ・ヴィンチは万能の天才としてあまりにも神格化されすぎているような気がします。ダ・ヴィンチが仕上げた作品は実はフェルメールよりも少なくて、二十点に満たない。それは彼が完璧主義者すぎて自分の作品を完成できなかったということなんですが、その裏にはダ・ヴィンチの秘めたる苦悩があったと思うんです」

「どんな苦悩だったんでしょう？」

「あっ、もしかしてハカセに何か書かせようとたくらんでいます？」

「いえいえそんな下心はありません」

「はあ、まあいいでしょう。彼は膨大なノートをつけていました。いわゆる『手稿』ですね。ここには個人的なことはほとんど書かれていないのですが、『わたしは一体何を成し遂げたというのか』という風に、はからずも内面が吐露された走り書きがあります。それから、幼少期の夢を書いた箇所があるんです。この話をとある上品な雑誌に寄稿したところ、ちょっと露骨なので……って削ることになっちゃったんですよね」

「週刊文春なら大丈夫です」

「そうですか。ダ・ヴィンチはこう書いています。『私の幼年期の最初の思い出によれば、私が揺り籠の中にいた時、一羽の鳶が私の所に飛んで来て、尾で私の口を開かせ、私の唇の内部を何度もその尾で打ったように思われた』。

フロイトは次のように解釈しました。これは同性愛者の夢だ。鳶の尾は男根の隠喩であり、それで口の内部を何度も打つというのは、男根が相手の口の中に挿入される激しいオーラルセックスを意味しているのだと。どうです？」

「………」

「それともうひとつ、彼が私生児として生まれたという出自の問題がありました。当時、同性愛者であることも、私生児であることも大きな抑圧の対象となったはずです。こういったコンプレックスが彼を孤独な探求者にしたのだと思うのです。そう言えば、来年、二〇一九年はダ・ヴィンチ没後五百年ですね（ダ・ヴィンチは一四五二年に生まれ、一五一九年に亡くなった）。こちらも科学と芸術をつなぐ記念イベントを考えたいものです」


（二〇一八・三・八）

フェルメールとエマープの謎

この秋、上野の森美術館でフェルメールの一大展覧会が開催される。フェルメールオタクの福岡ハカセも今からどきどきしている。先日、そのポスターを見たが煽り文句がすごいのだ。

「2018年10月。あなたは日本にいますか?」

そして大きくこんな風に書いてある。

「VERMEER　8/35　現存するフェルメールの絵画35点中8点までが東京に集結します。」

「牛乳を注ぐ女」「ぶどう酒のグラス」「手紙を書く婦人と召使い」などフェルメールの傑作中の傑作が8枚もやってくる(最終的には1作が追加され、9枚になったのだが)。こんなにたくさんのフェルメール作品(ほぼ4分の1)がひとつの美術館で一挙展示されることは日本の展覧会史上初めてのことだ。

しかーし。この告知、ハカセにはひとつだけひっかかることがある。それは35という数字である。ハカセはかねがねフェルメールを語るときは必ず「フェルメール全37作品のうち」という謳い文句を掲げてきた。

37は素数である。そしてこれを反転した73もまた素数。こういうペアは素数中の素数、別格の素数であって「エマープ」という特別の称号を与えられているのだ。たとえばあの大震災の日、311（と113）はエマープ、旅客機が何度も墜落した1031（10月31日）もエマープ（1301と）である。エマープにはオタク心をそそる不思議なパワーがあるのだ。

素数は英語ではprime。これを逆さまに読むとemirp、すなわちエマープであり、数学者たちも洒落っ気があるというわけ。

さて、ハカセが考えるフェルメール作品37点と、今秋開催されるフェルメール展が採用する35点という数字に違いがあるということはすなわちフェルメール作品の帰属について見解の相違がある、ということになる。むろん分母が小さい方が、8という数字がより引き立つのはもちろんなのだが、それはおくとして、どうして2つ点数がすくないのか。ハカセは博愛主義なのでどんなことでも排除するよりも包摂した方がいいと思うのだが、絵の真贋は評価額にも直結するのでエビデンスが必要だ。ハカセが考えている37作品のうち、これはほんとうはフェルメールが描いたのではないのではないか、と疑問を持たれている作品があるのは事実である。

主催者は全35点のリストを提示していないので推測の域を出ないのだが、それはワシントン・ナショナル・ギャラリー所蔵の「フルートを持つ女」、ニューヨーク在住の大富豪K氏が個人所蔵する「ヴァージナルの前に座る若い女」、そして長らく米国の資産家夫人が秘蔵していたものがオークションに登場し、高額で落札された「聖女プラクセデス」の3点のどれか2つだろう。

このうちK氏所蔵の作品は、近年、科学的な分析が進んでフェルメールによる真筆性が高まっている。キャンバスに使われている繊維の粗密を詳しく解析すると、その断面が、ルーブル美術館にある「レースを編む女」とほぼ完全に一致していることが判明したのだ。つまり2つの絵は同じ布から切り出されたキャンバスに描かれている。当時は画家がキャンバスを自分で張っていたので、切り出したのはおそらくフェルメール本人であったろう。

ということで、37－35＝2の2点は「フルートを持つ女」と「聖女プラクセデス」ではないか。ハカセは、ナショナル・ギャラリーのフェルメールの権威アーサー・ウィーロック先生と話したことがあるのだが「いつかこの疑念を晴らしたい」と言っていた。ウィーロック先生は今回のフェルメール展の監修者でもあるので35という数字についてどう思っているのか。残りは「聖女プラクセデス」だが、なんと落札したのは日本人で現在日本にある。もしハカセに調べさせてくれたら本物である証拠を見つけ出す秘策があるんですけど。

（二〇一八・六・二八）

売れない本のお値段

ニューヨークに行ったときは、ハカセは必ずメトロポリタン美術館に行きます。そこでハカセの終生のガールフレンドたちに再会します。ガールフレンドというのは、まず「水差しを持つ女」。彼女は窓から射す明るい光に照らされて、そっと窓枠に指を触れている。「リュートを持つ女」は楽器を持つ手を一瞬とめて、窓の外に視線を向けている。外で何か物音がしたのか、誰かが訪問してきたのか。「少女」もつぶらな瞳でじっとこちらを見つめている。これは彼の娘さんがモデルという説があるが、たぶんそっくりなんだろうな。それにしてもいつ見てもすばらしい。つまりこれは恒例の「フェルメール参り」です。

日本でフェルメール展が開催されようものなら、人々の大波に押され、ゆっくり鑑賞することなんて到底かなわない。ところが、こちらでは通り過ぎる観覧客もちらほら程度。これは何もフェルメール自体に人気がないわけではなく、メトロポリタン美術館には他にも見るべきものが多すぎて、そして広大すぎて（たとえばエジプト美術、移築してきた王の墓、アステカやインカ美術の数々、ダ・ヴィンチとかデューラーとか、近代になればなったでゴッホとかルノアールとか）、世界中からやってくる訪問者（ほとんどが観光客）は、まずそちらの方へ行く。フェルメールがあるのは、奥の方のオランダ絵画のところなのだが、そこに行くまでの途中には迷路のような小部屋があって中世の宗教画がいやというほどある。そしてこれがかなり滅入る。なので、多くの人はフェルメール部屋に到達する前に力が尽き果ててしまう。でもいったんこの部屋に入ると絵の前に、わざわざ長椅子までおいてある。だから実にゆっくりフェルメールと対面することができる。

フェルメール作品を見てあらためて思うのは、当時（十七世紀）の同じオランダの画家に比べても、フェルメールの絵だけは特別だ、ということ。室内にいる女性を描いた、似たようなモチーフの絵は多数あれど、フェルメールの絵にだけは、柔らかい光のヴェールのようなものがかかっていて、それが絵の世界に夢のような不思議な雰囲気と奥行きを与えている。こんなことが実現できたのは、フェルメールがカメラ・オブスクラというレンズつき写真機（の原型）のような装置で空間を正確に写し取っていたからで、レンズのソフトフォーカス感がそのまま絵に表現されている、というのが定説。フェルメールはアーティストというよりはサイエンティストだったのだ。そこがまたハカセがフェルメールを愛する理由でもある。

さて、フェルメール参りのあとは、ちかくの古書店をのぞく。ここは単なる古本屋さんではなく、初版本や稀覯本を扱う専門店。大きな古風なビルの上層階の秘密めいた隅にあり、呼び鈴を押さないと中に入れない。

「こんにちは」

「ああ、いらっしゃい。お久しぶりですね」

「何か面白いもの、ありますか」

「こんなものはどうですか」

そう言って店主が見せてくれたものは古い手紙。かのチャールズ・ダーウィンが『種の起源』(いわゆる「進化論」)を米国で出版するにあたって編集者にあてて出した直筆書簡。もちろん署名が入っている。一八六九年筆。

「お、おいくらくらい?」と恐る恐る聞く。

「四万ドルです」

ちなみにロンドンで出版された『種の起源』の初版本はたった千二百五十部しか発行されなかった。しかし本の価値は部数では決まらない。思想的にはもちろんだが、モノとしてもである。

「今、古本市場に出てきたら、どれくらいの価格になりますか」

「まあ、三十万ドルくらいですかね」

「!」

「ときどき状態のいい出物がありますよ。いかがですか」

商売上手な本屋さんなのであった。


(二〇一九・一〇・三)

新発見！　フェルメールが音楽を描いていた

日本でも非常に人気の高いヨハネス・フェルメールは、その謎の多さでもファンを惹きつけている。

オランダの文化都市、デルフトで一六三二年に生まれた稀代の画家には、作品のほかには、手紙などの文章がいっさい残っておらず、人となりや彼の足跡については少ない手がかり、つまり残された絵からひもとくよりほとんど方法がない。そのため、昔から様々な仮説が立てられ、それについての論争が起きてきた。

現在（二〇一八年）、上野の森美術館で開催されている国内史上最大級のフェルメール展では、「現存する三十五作品中、九作品が来日」するとして大きな注目を集めているが、そもそも現存するのが「三十五点」というのも、証明されておらず、あくまで仮説。ちなみにハカセは三十五ではなく、三十七点説を採っている。何と言っても37は素数ですからね。

今回のフェルメール展が指す「三十五点」のリストが明かされていないので、どの二作が真作認定を受けていないのかは想像するしかないのだが、ひとつは「聖女プラクセデス」だと思われる。フェルメールには珍しい宗教色の強いテーマと大ぶりの筆使いで、以前から真贋論争を巻き起こしている作品だ。あまり知られていないが、数年前、某日本人ＩＴ長者がオークションで落札し、現在は上野の国立西洋美術館に寄託されている。つまり上野に行けばフェルメールの絵が九十一の十点観られるのだ！（むろんこれを真作とすれば、ということ）

ちなみに、国立西洋美術館で「聖女プラクセデス」は〝伝フェルメール〟という扱いになっている。フェルメールに限ったことではないけれども、かつて絵の真贋判定は、専門家による「絵のタッチ」「質感」など、ともすれば印象論に拠っていたのが、最近はサイエンスの解析手法がどんどん駆使されていることをご存知だろうか。

たとえば、フェルメールが最後に描いたと思われる作品に「ヴァージナルの前に座る若い女」がある。アメリカ人大富豪が個人所蔵しているこの作品も、フェルメールの真作かという論争が巻き起こった作品のひとつだが、ニューヨークのメトロポリタン美術館のキュレーター、ウォルター・リトケらが考案した「スレッド・カウント」という手法によって、真作の可能性が高まった。

「スレッド・カウント」とは、キャンバスになる麻の織りの粗密を測定し、パターン化する方法。フェルメールの時代は、画材屋がなかったことから、画家自身が麻で作られた布を購入して裁断して、枠となる木に打ちつけ、キャンバスにしていた。絵の布の「スレッド・カウント」のパターンを測定し、それをコンピュータ解析した結果、なんとパリのルーブル美術館に所蔵されている「レースを編む女」（フェルメール傑作中の傑作）で使われているキャンバスの布と同じパターンをしている、つまり同一の麻の反物からとられた布であることが分かった。もちろん、これだけでは同一人物が描いたことを決定することはできないが、「レースを編む女」と「ヴァージナルの前に座る若い女」をフェルメールの真作と判断するのに大きな状況証拠となったはずだ（ちなみにハカセはこれとは別の画期的な方法で、前述した「聖女プラクセデス」が真筆であることを証明しようとするプロジェクトを進めている）。

そして、本題。フェルメールおたくの一人として今回ハカセが発見したのが、「フェルメールの音楽」である。絵からどうやって音楽を聞くのかって？　首尾は上々、仕掛けをごろうじろ。

きっかけは雨のそぼ降る二年前（二〇一六年）のある日の午後。ハカセがポスドク時代（約三十年前）に初めてフェルメール作品を観た思い出の場所であるニューヨークのフリック・コレクションでいつものように絵を眺めていたときだった。ハカセは日本では青山学院大学、アメリカではロックフェラー大学に籍を置いているため、たびたびニューヨークを訪問しており、行くと必ず鮭が生まれ故郷の川に戻るようにここへくる。

フリック・コレクションは持ち主の遺言により、他の美術館に貸し出しをしないので、「女と召使い」「兵士と笑う娘」「稽古の中断」の三点のフェルメール作品はここでしか観られない！フェルメールの不思議な魅力は、何度見ても見る度に新しい発見があることだ。こんな細部のペン先を描いていたのか、とか、窓枠がこんなに明るかったんだ、とか。

そして「稽古の中断」の前でふいにアイデアが閃いた。

左にあるのはリ・クリエイト版（詳しくは後述）の「稽古の中断」。中央やや下を見てもらいたい。テーブルの上にはらりと開かれた音楽の本らしきものが置かれている。どうやら楽譜らしい。いや、近づいてみるとだいぶんかすんでいるとはいえ、かすかに音符が見えそうではないか！　しかもものすごく精密に描かれている。これを解読することができれば、当時フェルメールが聴いていた音楽を再現できるかもしれない！

思えば、フェルメール作品には音楽が満ち溢れている。「音楽の稽古」、「窓辺でリュートを弾く女」、「合奏」（この作品は一九九〇年、ボストンのイザベラ・スチュワート・ガードナー美術館で盗難に遭っており、ハカセが唯一、直接観たことがない絵。盗難事件の詳細は集英社インターナショナル新書『消えたフェルメール』朽木ゆり子著、に詳しく書かれている）、「フルートを持つ女」「恋文」「ヴァージナルの前に立つ女」「ヴァージナルの前に座る女」「ヴァージナルの前に座る若い女」「ギターを弾く女」などにはもれなく楽器が描かれている（「ギター〜」はポール・マッカートニーが気に入り何時間も眺めた挙げ句に売ってほしいと提案してきたそうな。ビートルズの曲のどれかの着想を得たのか

リ・クリエイト版「稽古の中断」

もしれない）。

未見の「合奏」を観たいと熱望するあまり、フェルメールの音楽を聴きたいという気持ちが無意識の底に流れていたのだろう。「稽古の中断」の中の楽譜が、スロットマシンの札がパタンと揃うように急に目に飛び込んできたのだ。

フェルメールの生きた時代は、バッハ以前である。音楽が一部の王侯貴族、教会のものから、庶民が（とはいえ、経済的にかなり恵まれている家に限られるだろうが）家の中でも楽しめる娯楽に変わってきた時代だった。しかしフェルメールたちがどんな音楽を聴いていたのかまではわからない。

これだけ楽器をモチーフにした絵を描いている以上、フェルメールも相当な音楽の愛好家だったに違いない。フェルメールが好きだった音楽を、自分も聴いてみたいと思うのは、おたくの性。そこから楽譜の解読作業が始まった。

実際の作業の詳細の前に、フェルメールの絵の特徴について説明しておきたい。楽譜を解読するにしても、それは「楽譜上の音符は正確に描かれたもの」という前提が必要になる。

ハカセがフェルメールを好きな理由の第一は、フェルメールが非常に科学者マインドに溢れた人であり、全てのものを正確に描写しようとした画家である、ということ。そのために、同じデルフトの街に住んでいた〝顕微鏡の父〟と呼ばれる、レーウェンフック（フェルメールと同い年であり、彼の死後、遺産管財人にもなっている）にも助力を請い、カメラ・オブスクーラという機材を使って絵を描いたと推察される。

これは現在の針穴写真機に似た箱型の装置で、穴の位置に集光のためのレンズがはめこまれていた。これを部屋に向けると、部屋の光景がレンズを通して集められ、箱のすりガラス画面上に映し出される。これをトレースすることで三次元空間を正確に二次元平面に落としこんでいたと考えられるのだ。

脱線するが、ハカセはレーウェンフックが残している顕微鏡の観察スケッチをフェルメールが担当していたのではないかという説を唱えている。レーウェンフックは「画家にスケッチを依頼した」という書簡を残しており、スケッチの正確さ、アーティスティックなタッチもフェルメールらしい。フェルメールはスケッチやデッサンの類を残していないので、厳密な比較研究は叶わないが、スケッチにはアルファベットの文字が描かれているものがある。これがフェルメール自身が描いた絵の署名の文字とそっくりなのだ。

また、フェルメールが死んだとされる一六七五年以降、レーウェンフックが残した観察記録の絵のタッチが大きく変わっているのも、この説を補強する材料である。

フェルメールがいかに見たものを正確に描いたかを示す証左は他にもたくさんある。たとえば、「天文学者」で机に開かれている本は、実在しており、それが本の何ページ目であるかがフェルメールの研究者によって突き止められている。

さらに言えば、「小路」という絵。デルフトのどこを描いたのか長年の謎だった。そこで絵の中のレンガに着目した研究者が現れた。当時のレンガからサイズを割り出す。それに、絵のレンガの数をかけ、家の大きさを計算する。当時のデルフトの固定資産税は家の間口の幅によって決まっていた。当時のデルフトの納税記録が残っており、レンガの大きさから推測される間口が、フェルメールのおばの家と一致したのだ。家の前で遊ぶ子どもたちはフェルメールの親戚かもしれない！　フェルメールの絵筆が紡ぐ異常なまでの正確さが、ひとつの謎を解く鍵となった。

このような事実から「稽古の中断」で描かれている楽譜も、音符に至るまで正確に描かれている可能性が高いと言える、とハカセは考えた。

しかし、ここでひとつ問題が生じた。フェルメールの絵は、小ぶりで控えめなものが多く（これが日本人が彼の絵を好きな理由のひとつだろうが）、「稽古の中断」も、縦三十九センチ、横四十四センチしかない小さなものだ。さらに、現存する「稽古の中断」は描かれてから三百五十年の月日が経っていることから、絵の具の酸化、表面の劣化などもあり、描かれた楽譜は非常に見づらい。とてもここから楽譜全体を再現できるとは思えなかった。

その危機を救ったのが、〝リ・クリエイト〟という作業である。これは簡単に言えば、描かれた当時の色彩やブラッシュストロークで絵を再創造する試み。単なる模写や複製ではなく、最新のデジタルリマスタリング技術を使って、当時の新鮮な絵の具の色を再生、経年劣化による変色の補正、酸化や黒化した部位のクリーンアップなどを施し、三百五十年前に描かれた当時のヴィヴィッドな色と筆使いを再創造（リ・クリエイト）しようとする試みである。

著作権はどうなっているの？　と疑問に思う読者もいるかもしれない。そもそもフェルメールは三百五十年も前の人で、遺族もなく絵の著作権はない。リ・クリエイトはオランダの「フェルメール・センター・デルフト」の全面的な協力を得て、提供を受けた画像データを基に作業している。法的にも「模写や複製ではなく、創造性のある新しい作品」として認められているのだ。ハカセは二〇一二年よりフェルメールのリ・クリエイト作品三十七点をフェルメールが描いた順に、一堂に陳列した「フェルメール　光の王国展」という展覧会を開催して好評を得た。全部のフェルメール作品を一挙に見ると、フェルメールの全人生の時間軸が立ち上がってくる。絵はフレームの中にあるのではなく、絵と絵のあいだの動的平衡の中にある。リ・クリエイトは、美術の楽しみ方の新しい提案なのである。

今年（二〇一八年）も十二月十五日より東京・恵比寿三越で、新機軸のリ・クリエイト　フェルメール展を開催する予定。

リ・クリエイト作業を詳細に進めることによって「稽古の中断」の楽譜の鮮明さは原画に比べて大幅に増した。表面のニスの色を取り除き、白黒諧調にして、ある閾値《いきち》以上の黒い部分をより強調させた。それを拡大して、読みやすいよう九十度時計回りに回転させたのが左ページ上の楽譜の写真である。

何人もの音楽の専門家にも解析に協力してもらった。当時から五線譜はあったのか、何調なのか、ト音記号などはどうなっていたのか。シャープ、フラットはあったのか、どんな楽器のための楽譜なのか。ハカセには知らない領域のことばかり。「稽古の中断」の中に描かれている楽器は「シター」ということも判明した。紙幅の都合上、具体的な名前を列記できないが、多くの方のサポートがあって、楽譜の抽出、再現作業が進んでいった。

その結果分かったのは、当時から五線譜と音符、音階などの現代に通じる表記法はすでに存在しており、この楽譜もそれにもとづいて描かれていること。それら専門家の意見を総合し、絵の上に五線をスーパーインポーズしたのが下の写真。「稽古の中断」で描かれる楽譜は本が開かれた状態になっているので、その角度にあわせて、五線譜も右側を少し湾曲させている。

楽譜を精査すると、同じ場所に描かれている音符は多いもので二つである。これは二本の指で違う音の弦をつまびいていたのではないかと考えられる。しかもその二音は不協和音になることなく、きちんと和音の一部になっていた。そのほか、曲を形成する特徴となる順次進行、旋律の反復など、音楽的要素があることがわかり、やはりフェルメールは出鱈目に音符を描いたわけではなかったことがわかった。

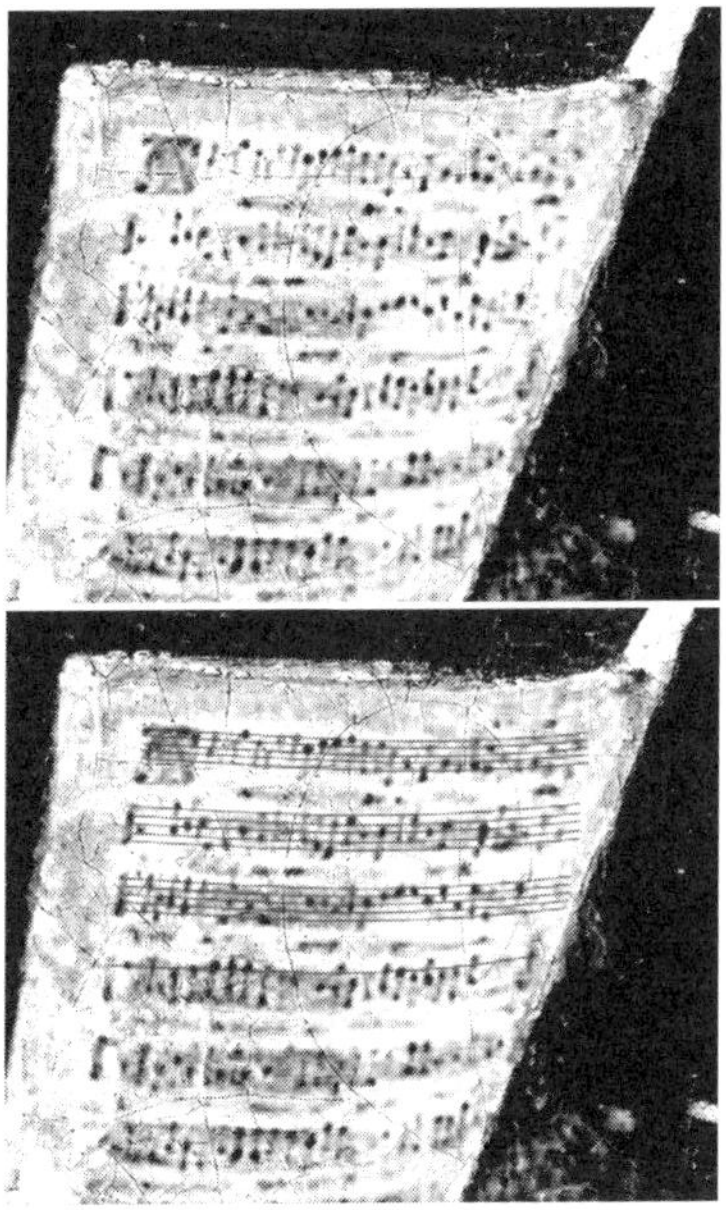

「稽古の中断」の楽譜部分（上）と
それに五線を入れた図（下）

もちろんこの楽譜だけでは、テンポなど不明なところも多々ある。その中で、多くの専門家と相談した結果、ついにフェルメールも聴いていたと思われる、約一分間の音源を作成することに成功した。あらためて聴いてみると、バッハほど荘厳でないものの、甘美なメロディーが特徴的で、耳を離れない。

この発見、成果を自分だけのものにする気は毛頭ない。この音源作成までの経緯を近く論文形式にして発表すると同時に、十二月十五日より恵比寿三越にて開催されるフェルメールのリ・クリエイト展でも大公開する予定（再現した楽譜は、拙著『フェルメール 隠された次元』（木楽舎）に掲載）。

目的は二点、フェルメールファンの皆様に、音を聴いていただきたいというのと、この曲のタイトル（ヨーロッパの古楽に詳しい人なら知っているかも）の解明など、これからのフェルメール研究のために情報を共有し、オープンソースにしてもらうことだ。

謎多き画家、フェルメールはこれからも多くの謎で我々を楽しませてくれるだろう。

（二〇一八・一一・一）

初出　「週刊文春」二〇一八年二月一日号～二〇二一年一月十四日号
本書の情報は初出執筆時点のものです。

福岡伸一（ふくおか・しんいち）

生物学者。1959年東京生まれ。京都大学卒。米国ハーバード大学医学部博士研究員、京都大学助教授などを経て、青山学院大学教授・米国ロックフェラー大学客員研究者。ベストセラー『生物と無生物のあいだ』（講談社現代新書）、『動的平衡』（木楽舎）など〝生命とは何か〟を動的平衡論から問い直した著作を数多く発表。近刊に『スタディサプリ 三賢人の学問探究ノート3 生命を究める』（共著、ポプラ社）、『最後の講義 完全版』（主婦の友社）、『福岡伸一、西田哲学を読む』（共著、小学館新書）など。

迷走生活《めいそうせいかつ》の方法《ほうほう》

二〇二一年 三月十日 第一刷発行

著　者　福岡伸一《ふくおかしんいち》
発行者　新谷 学
発行所　株式会社 文藝春秋
〒一〇二-八〇〇八
東京都千代田区紀尾井町三番二十三号
電話 〇三-三二六五-一二一一

印刷所　凸版印刷
製本所　凸版印刷

ISBN978-4-16-391345-2